張元濟　著
王紹曾
王承略　整理
邵玉江
王紹曾　審定

百衲本二十四史校勘記

南史校勘記

商務印書館
二〇〇一年·北京

圖書在版編目(CIP)數據

百衲本二十四史校勘記．南史校勘記/張元濟著；王紹曾，王承略，邵玉江整理．—北京：商務印書館，2001
ISBN 7-100-03070-6

Ⅰ．百…　Ⅱ．①張…　②王…　③王…　④邵…
Ⅲ．①二十四史-校勘②南史-校勘　Ⅳ．K204．1

中國版本圖書館 CIP 數據核字(2000)第 19238 號

百衲本二十四史校勘記
南史校勘記
張元濟　著
王紹曾　王承略　邵玉江　整理
王紹曾　審定

商　務　印　書　館　出　版
(北京王府井大街 36 號　郵政編碼 100710)
商　務　印　書　館　發　行
中 國 科 學 院 印 刷 廠 印 刷
ISBN 7-100-03070-6/K・663

2001 年 10 月第 1 版　　開本 787×1092　1/16
2001 年 10 月北京第 1 次印刷　　印張 17 1/2
定價：28.00 圓

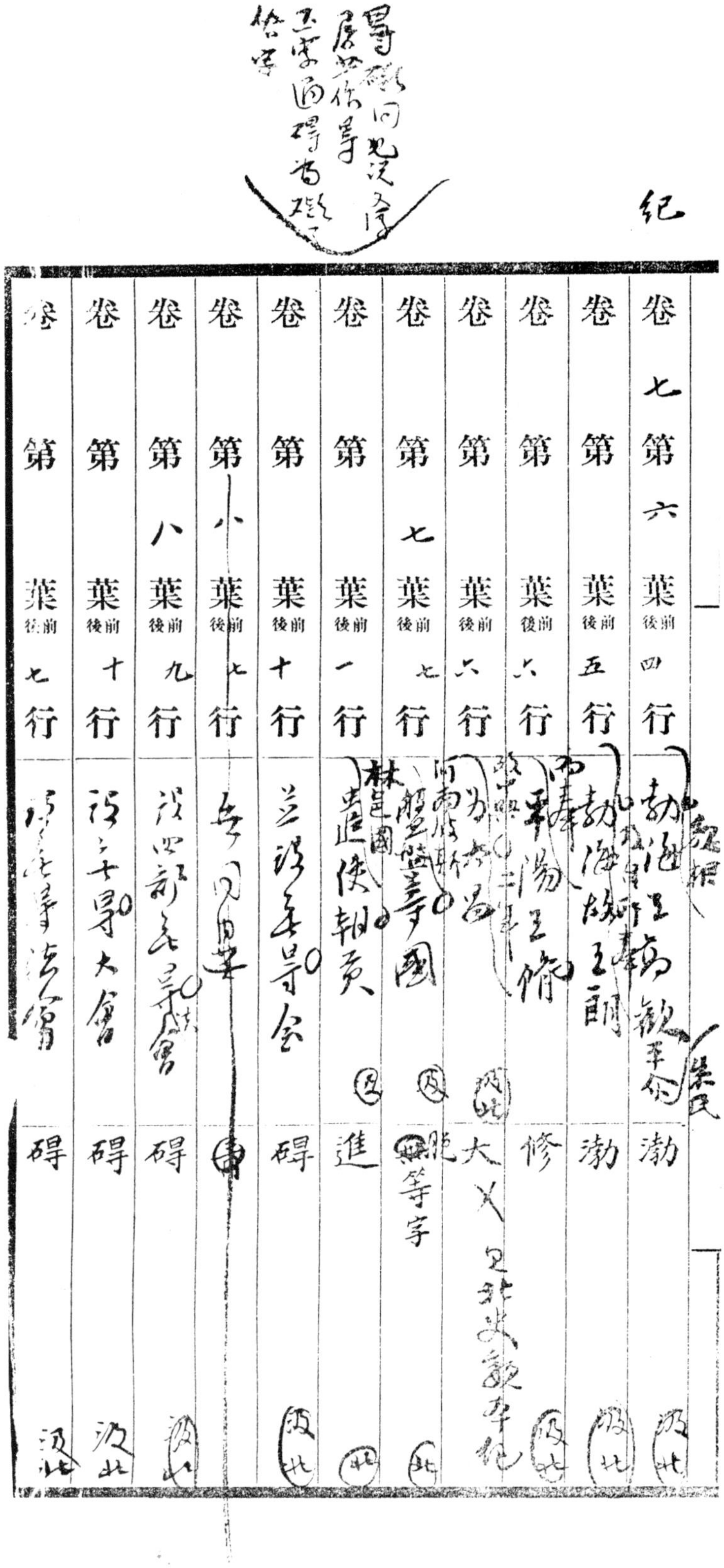

張元濟先生《南史校勘記》手稿之一

（異文是非批語係蔣仲茀先生所加）

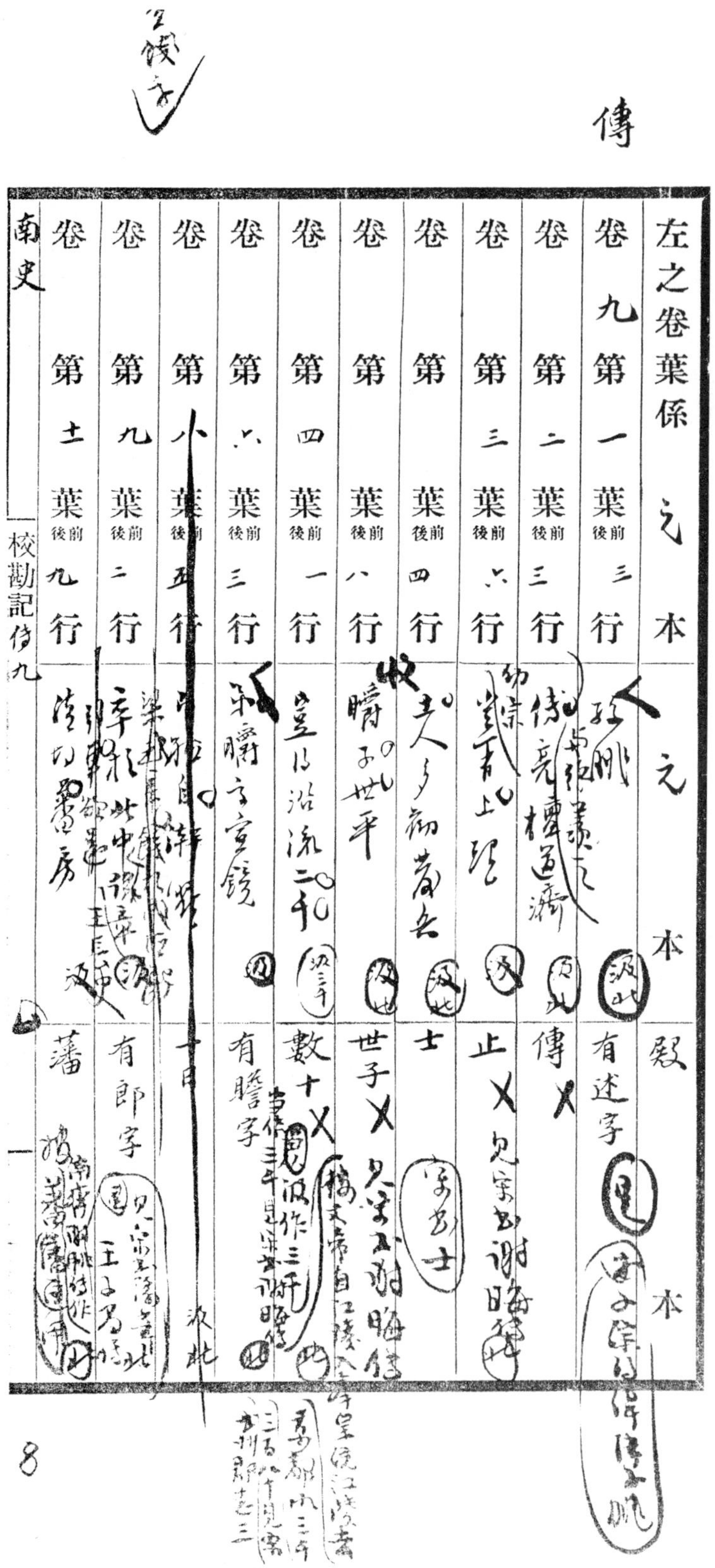

張元濟先生《南史校勘記》手稿之二

（異文是非批語係蔣仲茀先生所加）

目録

序

海鹽張菊生先生嘗慨今本正史之不可信，乃發重校正史之願，集宋元明善本之大成，輯印《百衲本二十四史》，沾溉海內外學人者多且廣矣。顧先生所撰校勘記百數十巨册，以世變方殷，董理需時，至今五十餘年，迄未付梓，不獨學者引以為憾，且無以慰先生在天之靈。猶憶龍於四十年代初應葉揆初丈與先生之招，抵滬創辦合衆圖書館。時上海已成孤島，江浙藏書紛紛流散，揆丈與先生率先倡議，網散羅佚，盡出篋藏，陳叔通、李拔可、陳陶遺諸公咸積極響應，於是庫藏之富，甲於東南。時《百衲本二十四史校勘記》稿本，由商務丁英桂君保存，龍以工作之便，幸得假觀。其中《史記》、《漢書》、《宋書》三種均為先生手稿，彌足珍貴。其他二十一種（《明史》原無校勘記，故實有二十三種。），均出自校史處同仁迻錄經先生審定者。眉端行間，率多先生斠語，蠅頭細書，朱墨爛然。亦間有錢唐汪仲谷、吳縣蔣仲茀兩先生所加按語，而為先生所認可者。大抵校勘記以《衲史》所據宋元明舊本為底本，校以武英殿本，復參校衆本。凡各本異文，雖一字之差，一筆之微，均網羅無遺。而先生斠語，每於異文是非，或取證本書，或旁稽他籍，所加案斷，咸能識其乖違，正其外訛，並究其致誤之源。其諸本不誤而宋元舊本獨誤者，則亦未嘗曲徇。昔金壇段若膺論校勘之難，謂「非照本改字、不譌不漏之難，定其是非之難」。先生校史，不獨定異文是非，且援據衆本，擇善而從，融死校活校於一爐，自盧（文弨）、孫（星衍）、黃（丕烈）、顧（廣圻）以來未嘗有也。當有清乾嘉之際，治史校史之風浸盛，然如厲樊榭、全謝山、杭大宗等咸專治一史，自嘉定王西莊、錢竹汀並肩崛起，校勘全史，形勢為之一變。王氏《商榷》、錢氏《考異》，其博大精深，後人論之者衆矣。然王錢均以過人之精力，以推理校勘為主，而宋元舊本，未獲多見，故雖能舉其疑誤，奪失而無所取證。王錢而後，百二十餘年間，治史校史者繼繼承承，但求其能彙集善本，通校全史者，則闃然無聞。先生生當中華文化存亡絕續之交，以搶救、弘揚傳統文化為己任，先後輯印《四部叢刊》、《續古逸叢書》，猶以為未足。於是廣採旁蒐，彙集善本，輯印《百衲本二十四史》。在創議之初，先生每獲善本，輒親自讎校，往往一校、再校而至三校，幾至廢寢忘食。一九二八年二月前，已校畢《宋書》、《南齊書》、《陳書》、《魏書》、《北齊書》、《新五代史》，一九二八年後，又續校《史記》、《漢書》、《晉書》、《南史》、《北史》及其他諸史。每校一史，先生必廣羅衆本，隨手記其異文，彙爲校記，然後比勘異同，拔取殊尤，如獲更勝之本，則舍去前者，有抽換至一而再者。惜先生校記原稿，除《史》、《漢》、《宋書》外，均未及見。夫校史之難，首在求本，善本難求，自古而然。先生獨不辭勞瘁，持以堅毅，「招延同志，馳書四出；又復舟車遠邁，周歷江海大都，北上燕京，東抵日本，所至官私庫藏，列肆冷攤，靡不恣意覽閱。耳目聞見，藉記於册。海内故家，聞風景附，咸出篋藏，助成盛舉」。此中甘苦，傅沅叔前輩知之最深，不有記述，後人將無由知成書之難與先生校史之勞。至考斠異文，篇帙浩瀚，先生所加斠語，少則一二字，多至數百言，無不執中至當，動中窾竅。其詣力所到，時與王錢諸人相發明，而精審且或過之。蓋先生以本校本，均以善本互校，故其改正謬誤，咸有依據，與王錢推理校勘有所不同。此誠王錢有志未逮之偉業，而必先生方有以成之也。

惟令人深感遺憾者，先生校勘記二十三種，中華書局於一九六〇年點校《二十四史》久假不歸，逮一九八七年商務建館九十周年舉行先生誕生一百二十周年學術研討會，經龍及王紹曾先生多方呼籲，中華始於一九九〇年請還《史記》、《漢書》、《後漢書》、《三國志》、《宋書》、《南齊書》、《梁書》、《陳書》、《魏書》、《隋書》、《南史》、《舊唐書》、《新唐書》、《新五代史》、《金史》等十五種。一九九二年又繼續清倉，歸還《宋史》一種，共計十有六種，尚有《晉書》、《周書》、《北齊書》、《北史》、《舊五代史》、《遼史》、《元史》等七種迄無消息，無從追踪。此七種如果尚存天壤，則一旦延津劍合，實為史學界之幸事。今者商務印書館林爾蔚總經理，因校勘記為先生二十年心力所寄，倘不及時將現存十六種整理出版，恐將長茲湮滅。復以紹曾當年參與校史之役，爰將董理之事委諸紹曾。而校理之事，必學養兼備，不憚煩勞者庶克成之，則又非紹曾莫屬矣。現前四史即將付印。龍喜其觀成有日，俾世之治史者人手一編，受惠無窮，而先生之校史鉅著終得傳諸天下後世，豈能不額手稱慶哉！後學顧廷龍序。時年九十有二。

百衲本二十四史校勘記整理緣起

海鹽張菊生先生於三十年代輯印《百衲本二十四史》，海內外學人以其搜羅宋元舊本之廣，校勘之精，影印之工，裝幀之善，無不歎為觀止。其沾溉後生，有功史學，紹曾嘗於序先生年譜時發其端緒。竊以為先生於傳統文化存亡絕續之交，輯印《四部叢刊》、《續古逸叢書》、《百衲本二十四史》，為古今續命，世人類能言之，而不知先生之功，尤在校史。蓋自乾嘉而還，治史者頗不乏人，然自王西莊、錢竹汀後，校勘全史卓然有成者，惟先生一人而已。先生校史，先後垂二十載，每得善本，輒親自讎校，一史有一校再校而至三四校者，雖一筆之微，一字之差，亦必究其致誤之原。先生校史，務求還古人之真面目，于舊本不輕改，亦不曲徇。所撰跋文，辨版刻之源流，臚衆本之異同，定版本之精粗，雖清之盧抱經、顧千里無以過之。一九三〇年衲史正式發售預約，然善本時有發現，必須反覆校勘，以定底本去取，先生以一人之力，日不暇給，爰於是年七月成立校史處。因就先生工作之便，賃屋於極斯非而路（現名萬航渡路）中振坊，與先生寓所望衡對宇，並委錢塘汪仲谷、吳縣蔣仲茀兩公為正副主任，以主其事。紹曾適畢業於無錫國學專修學校，以校長唐蔚芝師介，與同門錢鍾夏、趙榮長兩兄共預校史之役。校史處同仁約計十人，校勘之外，兼事描潤。每人每日均須填報工作，並將校勘記或描潤清樣，由仲犖先生向先生滙報。先生輒於當晚覆校，如發現問題，隨手批示或黏貼浮簽於上，例須於翌日上班前發還。一九三二年「一·二八」事變爆發，校史處暫行解散。是年秋恢復工作，校史處遷入先生寓所。紹曾等三人均因另有他就，未再復職，始終其事者惟仲犖先生及朱仲青等數人而已。大抵紹曾等所任者為以本校本，校其異同，或援先生囑付，以他本復查異文；或據指定參考書，摘錄考證文字。而辨析異文是非，則先由仲谷、仲犖兩公條陳所見，備先生參證。先生復親自釐訂，斟酌去取，或以本書前後互證，或以他書校本書，書眉上所加按語，往往蠅頭細書，朱墨爛然。可見先生校史之勤與功力之深。其中《史記》、《漢書》、《宋書》三種為先生手稿，尤彌足珍貴。顧校勘記因抗戰軍興，未及出版。胡適之先生早於一九二七年、一九三○年兩次致函先生，建議校勘記必須早日發刊，並將校勘記附於每史之後，用以嘉惠學者。胡氏且以為如此則「庶幾一人之功力可供無窮人之用，然後可望後來學者能超過校史工作而作進一步之事業」胡氏所云，誠爲篤論。然校勘記文字繁冗，董理需時，更值世變，能否付印，殊不敢言。故於一九三七年先生先就校勘記原稿，撮其領要，凡一百六十四則，輯爲《校史隨筆》。迨一九五八年，先生雖在病中，猶敦促仲弟先生繼續董理校勘記原稿。經仲弟先生釐定，校勘記原稿凡一百七十三册。其中定本二十種七十五册，未定稿兩種十八册，留供參考二十種七十四册，共裝一木箱。可見先生始終謀求出版，及先生一九五九年謝世，又值商務專業分工，遂未暇顧及。一九六〇年，中華書局點校《二十四史》，向商務悉數借用，久未歸還。一九八七年，先生誕生一百二十周年，在海鹽舉行學術研討會，紹曾在會上大聲疾呼，顧起潛先生在《我與商務印書館》一文中，亦力主校勘記必須整理出版，一九九〇年中華書局始行歸還《史記》、《漢書》、《後漢書》、《三國志》、《宋書》、《南齊書》、《梁書》、《陳書》、《南史》、《魏書》、《隋書》、《舊唐書》、《新唐書》、《新五代史》、《金史》等十五種，一九九二年繼續從倉庫中清理出《宋史》一種（缺一册）。其餘《晉書》、《周書》、《北齊書》、《北史》、《舊五代史》、《遼史》、《元史》等七種（《明史》原無校勘記）則已無從踪跡矣。先生二十年辛勤校史之成果，三分之一付諸東流，可勝浩歎。猶憶先生當年追尋薛居正《舊五代史》原本，知其書明清之際尚有存本，而近人歙縣汪氏亦藏有金承安四年南京路轉運司刊本，先生展轉尋訪，形諸夢寐，卒無所得，引為終身憾事。然則此七種校勘記之損失，先生地下有知，亦當為之不安。據紹曾蠡測，此七種校勘記，既未化為劫灰，則未必不在人間。倘一旦果能發現，延津劍合，失而復得，豈獨先生之幸，亦我國史學界之大幸也。

商務印書館林爾蔚總經理，於弘揚傳統文化，素具宿願，若干年來既將先生遺著，陸續付諸剞劂，並出版先生傳記、年譜，以《百衲本二十四史校勘記》為先生畢生心力所寄，且於史學貢獻至鉅，目前雖已遺失七種，僅存之十六種必須及早搶救，整理出版。因紹曾三十年代初曾預校史之役，而校史處同仁咸已物化，昔日侍坐先生獲聆緒論者惟紹曾一人。爰將整理校勘記事宜委諸紹曾。紹曾自惟學識譾陋，且年已老髦，何敢膺此重任。經商諸古文獻整理小組杜澤遜、王承略、劉心明諸君，俱願為此戮力分勞，並先後得程遠芬、趙統、李士彪、邵玉江諸同志響應，由紹曾總其成，並徵得顧起潛先生同意，最後請顧老審定。事既集矣，爰商定此十六種校勘記，分三個階段進行。第一階段為前《四史》，第二階段為魏晉南北朝六史，第三階段為隋、唐以下六史。先就校勘記原稿過錄，然後分別將衲本、殿本異文逐一覆核訂正。惟校勘記原稿，錯綜複雜，仲茀先生所謂「定本」，往往節刪異文，反不如所謂「留供參考」之本，較為翔實。蓋所謂「留供參考」之本，實係校勘記原本也。「留供參考」本名稱，有稱校勘記者，有稱「傳真舉疑」者（如《宋書》、《梁書》），有稱「修版舉疑」者（如《南齊書》）。故過錄時既須以定本為主，又須參以「留供參考」之本。過錄前必須反覆核對，做到不錯、不漏。既保存校勘記原貌，又必須為之補缺、訂誤。良以校勘記出於衆手，先生當日亦未暇一一覆核，有摘句文字訛奪，或間有底本與殿本互倒者，有葉數行數不符者，有漏標校勘符號者，注文有未標出「注」字者，有批「修」而漏修者，有未批「修」而實已修者，類似情況，屢見不鮮。校勘記按語，有出自仲谷、仲茀兩公而為先生認可者，有出自先生或先生加批者，為統一體例，概迻錄於校勘記備注欄內，不再出按語姓名。現前《四史》已整理就緒，商務即將付印，今後陸續整理，陸續付印。先生多年未遂之宏願，終將見諸實行。此殆胡適之先生所謂「庶幾一人之功力可供無窮人之用，然後可望後來學者能超過校史工作而作進一步之事業」，先生亦將含笑於九泉矣。

抑尚有所申述者，先生校史，慎之又慎，紹曾嘗就《校史隨筆》中抉摘其義例為十五例。此十五例者，曰重闕疑，補闕脫，訂錯亂，釐卷第，校衍奪，斠臆改，證異文，辨誤讀，勘異同，存古字，正俗字，明體式，決聚訟，揭竄改，匡前修。（見《張元濟校史十五例》，載《文獻》一九九○年第二期）今重讀先生校勘記，益證義例之嚴。其中斠臆改，揭竄改，先生尤三注意焉。然尚有一事未及闡發，即先生之慎校改。蓋先生深惡痛絕者，厥為明人刻書每多不知妄改。若宋元舊本確有明顯錯誤，殿本及諸本勝於宋元舊本，則亦未嘗不校改。清儒盧抱經嘗謂「古書流傳，譌謬自所難免，果有據依，自當改正」。又謂「書所以貴舊本者，非謂其概無譌也」。請初陸敕先校宋本《管子跋》亦謂「古今書籍，宋版不必盡是，時版不必盡非。然較是非以為常，宋刻之非者居二三，時刻之是者無六七，則寧從其舊也」。余校此書，一遵宋本，再勘一過，復多改正。後之覽者，其毋以刻舟目之」。葉煥彬《書林清話》引敕先此跋，謂「然則前輩校書，並不偏於宋刻，是又吾人所當取法矣」。諸家持論，大抵與先生所見息息相通。先生於一九三○年九月五日致傅沅叔書，謂「承假宋刻《五代史記》，弟已校過，固有佳處，然訛字亦頗不少，且有甚離奇者，如『將兕』二字，誤作『狀元』」。又謂「弟已將殘宋本及汪文盛本、劉氏覆宋本校過，將來尚擬取明監、汲古兩本再校。凡為諸本所不誤而此本獨誤者，擬將其字改正」。（見《張元濟傅增湘論書尺牘》第二四七頁）足證先生校史，其所以重視宋元舊本，並非因其「概無一誤」。先生可貴之處，不諱言宋本訛字，此與古今藏書家奉宋槧如金科玉律者迥然不同。然先生決不輕改舊文，必須一校再校，乃至四五校，凡為諸本所不誤而宋本獨誤，或諸本皆誤，獨殿本不誤，確鑿有據者，始將其字改正。其無所據依者，則寧從蓋闕。從現存十六種校勘記中觀之，此類校改，徧及諸史，不獨《五代史記》如此。以《史記》、《漢書》、《後漢書》、《三國志》為例，《史記》出校四千九百餘條，闌外批「修」者凡一千八百餘條；《漢書》出校四千四百四十九條，其中殿勝宋者七百零四條，義可兩通者二十二條，殿勝宋於闌外批「修」者二十條，殿勝宋原未批「修」實已修者七十三條。《後漢書》出校四千九百十四條批有「修」字者二百九十四條，其中批「修」已修者一百零四條，原未批「修」已修者一百九十條；原批漏修七條，誤修二條。《三國志》出校四千六百零五條，已修者爲一千三百三十七條。總計前《四史》出校一萬八千八百六十八條，已修者三千五百二十四條。可見諸本不誤而宋本誤者約佔五分之一强，五分之四則宋本勝於諸本，而景祐本《漢書》殿本勝於宋本者，僅爲六分之一强。以上情況，與陸敕先所云「宋刻之非者居二三，時刻之是者無六七」，大體脗合。校勘記闌外所批修字，均爲先生所手批，如遇校史處同仁於闌外擅批「修」字者，即遭先生批評。蓋先生批「修」與否，須經反復推敲，務必參校其異同，斟酌其是非，未可鹵莽行事也。校勘記闌外，除批有「修」字外，尚有批「補」、「削」者，均係根據具體情況，採取不同處理方法。以校勘記核對衲本，一經處理與原本字體毫髮不爽。無論改字或補字，均做到天衣無縫。此實整理影印古籍之極則，自晚清西法傳入中國以來未之有也。

此次整理，發現校勘記闌下有批「修」而實「漏修」者，有當年即已發現而加批「漏修」者。漏修之外，間有加批「誤修」者。所謂「漏修」，即應修而未修之字；所謂「誤修」，即宋本不誤而據殿本及諸本改字者。此類誤修之字，在《魏書》、《隋書》、《南史》校勘記內均附有《誤修字表》，《舊唐書校勘記》眉批：「誤修五十九條」，均在各條殿本闌內分別標明。先生之所以加批「漏修」、「誤修」，意在重印《衲史》時逐一改正，漏修者補修，誤修者回改。然一九五八年商務重印精裝縮影本時，先生已病重住華東醫院，仲弟先生亦已年邁，無能為力。此則先生始料所不及。現在校勘記即將付印，孰為漏修，孰為誤修，固彰彰明甚。於此益見先生襟懷之坦白，校勘之認真不苟，並世殆無其人。

或謂先生以宋元舊本影印《衲史》，若將宋元舊本誤字改正，則將無法保存宋元舊本之原貌。此實知其一而不知其二。夫宋元舊本之所以見重於世，無非因其刻印較早，錯誤較少。舊本既不能「概無一譌」，則誤者正之，缺者補之，實為實事求是之科學態度。昔王漁洋於《居易錄》中譏錢牧翁所定《杜集·九日寄岑參詩》，明知「兩脚」為「雨脚」之誤，竟不敢訂正，一仍宋本之誤，甚為可笑。若明知諸本不誤而宋本獨誤，猶必保存宋本舊貌，豈非陸敕先所謂「刻舟」之徒，不免重蹈牧翁之覆轍，而為漁洋所竊笑。或以為校本與影印本有別，校本以求是為目的，固當改字而出校記，以明所依據；影印本則以存真為原則，如確知宋元舊本有誤，當一存其真，而以校勘記揭示之。若逕行揩改，則將使讀者誤認為原本果無一誤字。竊以為此言誠是，然未可一概而論。清儒段若膺嘗謂「故刊古書者。其學識無憾，則折衷為定本以行於世，如戴東原師之《大戴禮記》、《水經注》是也。其學識不敢自信，則照舊刊之，不敢措一辭，不當捃摭各本侈口談是非也」。（見《經韻樓集》卷十一《答顧千里書》）夫以張菊老之淹貫宏通，誠可謂學識無憾矣。先生既據宋元舊本影印，復校以衆本，折衷至當，取長補短，擇善而從，以定本行世，又何嘗不可。且所改之字，均一一見於校記，原本究屬何字，讀者不難明其底蘊。然則《衲史》之可貴，蓋在兼具校本與影印本兩者之長，當非淺學者捃摭各本侈談是非者所可比擬也。

近人論校書之法，有死校，有活校。所謂死校者，據此本以校彼本，一行幾字，鉤乙如其書；一點一畫，照錄而不改，雖有誤字，必存原文。顧千里廣圻、黃蕘圃丕烈所刻之書是也。所謂活校者，以羣書所引，改其誤字，補其闕文。又或錯舉他刻，擇善而從；擇善而從，版歸一式。盧抱經文弨、孫淵如星衍所刻之書是也。斯二者，非清代校勘學家之秘傳，實兩漢經師解經之家法。先生校史，以死校為主，而參以活校。兼擅盧、孫、顧、黄之長而交相為用。羅各本之異同，存各本之真面；而又斟酌是非，擇善而從。此實集校勘家之大成，繼盧、孫、顧、黄之後而獨闢徯徑。此十六種校勘記一旦公諸於世，先生校史之功不難一一覆按也。

一九九四年六月一日後學王紹曾謹識

附《百衲本二十四史校勘記一覽表》

百衲本二十四史校勘記一覽表

書名	冊數	未定稿	定本	留供參考	附注
史記	6				附單頁九頁
漢書	11	11			未定稿中有宋校摘錄三冊
後漢書	7	7			內有一冊為後漢書劉氏校語摘錄
三國志	12		4	8	內有三冊為校勘記摘錄
晉書	9		4	5	遺失
宋書	6		2	4	
南齊書	3		1	2	
梁書	3		1	2	
陳書	3		1	2	
魏書	7		4	3	
北齊書	3		1	2	遺失
周書	3		1	2	遺失
隋書	4		2	2	
南史	7		4	3	
北史	9		5	4	遺失
舊唐書	15		7	8	
新唐書	14		6	8	留供參考中有跋材一冊
舊五代史	7		6	1	遺失
新五代史	5		2	3	
宋史	20		17	3	遺失定本一冊
遼史	4		2	2	遺失
金史	8		2	6	
元史	7		3	4	遺失
共計	173	15	75	74	遺失7種[illegible]冊

此表依據中華書局一九六〇年五月二十日借條並實際清點結果錄製

整理凡例

一、整理先按校勘記原稿過錄，然後進行覆覈。

二、過錄時以校勘記定本為主，參以留備參考之本。

三、過錄時概用衲本頁數、行數，填寫清楚、準確，如原校勘記間有誤填者，必須逐一改正。注文均須於「行」字下加「注」字，正文則不加「正」字。原校勘記如有加注「正」字而不加「注」字者，均須改正，以便統一體例。

四、校勘記原稿主要以殿本校宋元舊本（即上闌摘句為宋元舊本，下闌異文為殿本），間有以宋元舊本校殿本者（即上闌摘句為殿本，下闌異文為宋元舊本），宋元舊本校殿本為統一體例，必須一律以殿本校宋元舊本。過錄時先據殿本葉數行數，找出原文，然後與衲本覈對，改填衲本葉數行數，並將摘句與異文互倒。

五、校勘記所用參校本概用小一號字填寫，版本概用簡稱。如汲古閣本稱「汲」，北監本稱「北」，大德本稱「德」，汪文盛本稱「汪」，孔繼涵校本稱「孔」。凡填入上闌者即同衲本，填入下闌者即同殿本。原稿中有「汲、德同」、「北、汪同」者，「同」字均可省去。

六、校勘記過錄時須按原稿在異文及衍文旁加「○」為記，倒文加「○○」為記，脫文加「＜」為記。原稿有應加而漏加者，均須增補。

七、校勘記摘句及異文過錄時必須逐條與衲本、殿本覈對，如發現原稿摘句與異文有錯誤或互倒時，均須逐一改正。過錄時如發現衲本、殿本確有異文但校勘記漏未出校，均須用另紙抄錄，作為校勘記補遺，附於校勘記之後。

八、校勘記原有朱墨筆批語，凡有關考辨異文是非者，均逐一迻錄於備注欄內。凡不同層次之批語加「○」間隔。校勘記批語，有出自張菊老者，有出自汪仲谷、蔣仲茀兩先生者，因校勘記由菊老總其成，不再標批語姓名，特殊情況，另行處理。批語內如有「宋勝殿」、「殿勝宋」或「義可兩通」者，亦須如式過錄。在校勘記宋元本欄內、殿本欄內用「×」表示異文是非者，迻錄時概用「宋是」、「宋訛」、「殿是」、「殿訛」或「殿疑訛」表示。如遇批語中引書有疑不能明之處，必須覈對原書，方可過錄。

九、校勘記欄外批「修」字或「補」字（間有批「削」字者）者，均須於備注欄內過錄。過錄時並須根據摘句及異文逐一覈對，以明衲本是否已修或已補、已削。如發現應修而漏修者，須於備注闌內加注「原批修、漏修」。如發現原未批修而實已修者，亦須加注。凡校勘記闌外原批「漏修」或「誤修」者，則於備注闌内加注「原批漏修」、「原批誤修」。如校勘記原附有「漏修字表」、「誤修字表」者，除與原校勘記覈對加注外，並將原表過録一份，附於校勘記之後。

十、校勘記過録完竣，必須逐條覆覈訂正，統計出校若干條，批修者若干條，應修漏修者若干條，誤修者若干條，未批修而實已修者若干條，最後寫出整理說明。

南史校勘記整理説明

一、《南史校勘記》原稿共七册。第一至四册爲定本，其中有張元濟先生手校原稿一百七葉。另一、二、三册於封面題:《南史校勘記·汪校記》「僅備參考」。汪仲谷先生第一册以殿本校元本，第二册以元本校殿本，第三册以乙本（涵芬樓自有）校甲本（北京照來），書眉有硃批，均汪氏手筆。當時係備張元濟先生選擇底本之用，故所出條目大都與定本重複，其少數不見於定本者，整理時依次散入校勘記内。《南史校勘記》定本初校於民國二十八年一月二日，覆校於一九五八年五月十三日，下署「茀」字。

二、定本第一册前四葉，標爲「誤修卅條」。此卅條皆已散見於定本中。爲保持校勘記原貌及便於使用，今將誤修字表附於校勘記後。

三、《南史》所用底本，爲元大德間建康道九路刻本。但底本並非首尾完具之本，而是由多種大德本配補而成。張元濟先生借影北平圖書館所藏大德本若干卷，不足以補涵芬樓藏本。二本版有漫漶不可讀者，用常熟瞿氏鐵琴銅劍樓、江安傅氏藏園所藏本加以抽換。各本均缺刻書序第三葉，傅沅叔在《永樂大典》第一萬一百三十五卷覓得之，影印時依其他三葉字體寫版補入，《南史》乃成完帙。

四、校勘記所用對校本，為清乾隆四年武英殿刻本，參校本為明萬曆三十一年北京國子監刻本，明崇禎間毛氏汲古閣刻本，分別簡稱「殿」、「北」、「汲」。另據《宋書》、《南齊書》《梁書》《陳書》《隋書》及殿本《考證》等參校，隨文皆用全稱。

五、校勘記原稿格式分上下兩欄，上欄摘録元本原句，並在有異文處加上標記，下欄則標出殿本異文。北、汲視其與元、殿同否，分別注在兩欄之內。南朝四史則或注在欄内，或注在欄外。

六、原稿上下欄外及字裏行間有批語，凡與異文是非有關者，均迻録在備注欄内。批語不止一條則根據順序先後加○間隔。

七、原校勘記下闌外有批「修」、「補」、「修正」等字者，影印時皆已據殿本及其他參校本修訂。其有誤修，或批「修」而實未修，或未批「修」而實已修者，均在備注闌内説明。

八、整理後的校勘記共出校三千一百七十四條，其中批「修」而實已修者八百六十三條，原未批「修」而實已修者二十五條，原批「修」而實未修者十一條，批「修」又批「誤修」者三十三條，誤修字表漏列三條。明確指出殿本勝於元本而不曾修者二百一十九條，明確指出元本勝於殿本者五百八十四條，元殿二本同誤者三十一條，二本義可兩通或異體字、通假字等一百四十四條，元殿二本異文優劣不下斷語、維持元本原字句者一千二百三十四條。

九、校勘記原稿係行書，且有夾行細字極難辨識者，加以塗抹嚴重，迻録錯誤在所難免，敬請讀者指正。

正文

卷	葉	行	元本	殿本	備註
目録卷	三	前五行	東昏褚◦皇后	褚	傳文褚
卷	四	前八行	廬陵王褘◦	禕	殿誤○見傳文
卷	五	前四行	隨陽◦王翽	颺	殿誤○見宋書傳五十
卷		後八行	劉鍾◦ 北汲	鍾	修
卷	六	前三行注	惠明子昕◦素 北汲	昕	修
卷		前七行注	く孫◦朓 北汲朓	有述字	補
卷		前十行注	孫⿰出月◦	朏	按朏古作⿰出月,見集韻
卷		前十行注	⿰出月◦弟顥	朏	
卷		後三行注	孫◦僧達	錫弟	見考證
卷		後三行注	く子瑒	有沖字	
卷		後五行注	騫弟暕◦	暕	殿誤○見梁書傳十五
卷		後五行注	暕子承	暕	殿誤
卷		後十行注	份弟◦銓 錫 僉 通		
卷		行	勵◦ 北汲	孫勱	均修
卷	七	前四行	く從弟逡之	有曾孫清 清子	
卷		行		猛六字	見考證

卷	葉	行	元本	殿本	備註
目録卷	七	前七行注	沆從兄敫。	漑 北汲	修
卷		前七行注	く洽	有漑弟二字	見考證
卷		後一行注	彔從弟昴。	昂 北汲	修
卷		前四行注	孫顗。北汲	覬	修
卷		後七行	褚。裕。之	褚裕	修
卷		後八行注	蒙子介。北汲	玠	修
卷		後十行注	曾孫疑。	凝 北汲	修
卷	八	前二行	亂從弟烱。	炯	殿誤○見梁書孝行傳
卷		前四行注	緒子完允。	充 北汲	修
卷		前六行注	く寶積	有融弟二字	見考證
卷		前六行注	文伯く弟嗣伯	有從字	見考證
卷		後六行注	登之子。仲文 北汲	弟	修○考證監本訛子
卷		後七行	顧愷。之	顗	殿是
卷	九	前五行注	從子史。北汲	央	修○考證監本訛史
卷		前七行注	偃子盼。	盼 北汲	修
卷		後一行注	繪弟縝。	稹	修

目錄

卷	葉	行	元本	殿本	備註
卷	九	後一行注	繪子孝綽〻	有孝綽子諒　孝綽	
卷		行		弟潛八字	北有潛字、見考證
卷		後八行	衡陽元王道度〻	有繼子鈞三字	
卷		後十行	安陸昭王緬。	紑	見考證
卷	十	前三行	列傳二十二。北汲	三	修
卷		前六行	列傳二十三。北汲	三	修
卷		後八行	安陸王子敬。	敬	殿誤、見南齊傳二十一
卷	十二	後三行注	從叔橋。	撟	修
卷		後三行注	何憲。旁注	不旁注	
卷		後五行	歊。	歊	殿是、見梁傳四十五
卷		後七行	弟璡瑴族子顗〻	無瑴字　有顗從	
卷		行		弟瑴四字	
卷	十三	前二行注	猷子靜。駿	韶　北汲	修
卷		前十行	南平元襄王偉。北汲	康	殿誤、見梁書傳十六
卷		後六行	廬陵威王續。	茂	殿誤、見梁書傳二十三
卷	十四	前一行	臨川王大歀。	歀　北汲	修

卷	葉	行	元本	殿本	備註
目錄卷	十五	前四行注	後。兄縝	從 北汲	修
卷		前七行	裴邃。邃子之禮	邃邃	
卷	十六	後四行	衡陽く王昌 汲北	有獻字	殿是、陳書傳八
卷	十八	後三行	周鐵武。 汲北	虎	
卷	十九	前八行	沈炯。 汲	炯 北	殿誤、見陳書傳十三
卷		後七行	王洪軌。	軌	
卷	二十	前六行	孔子袪。 汲	袪 北	殿誤、見梁書儒林傳
卷		後十行	鍾嶸。	鍾	
卷	廿一	前十行	龔穎。	穎	殿誤、見宋書孝義傳
卷		後六行	徐耕く 汲北	有嚴成　王道蓋	
卷		行		五字注	見考證
卷		後九行注	妻く	許 汲北	補○北汲許下有之字
卷		後九行注	錢く	延慶 北汲	補
卷		後七行	く弟天生 北汲	有張弘之等　天	
卷		行		與六字	見考證
卷	廿二	前一行	鮮于文宗く 北汲	有文宗姊文英孝	見考證

卷	葉	行	元本	殿本	備註
目録卷	廿三	前二行注	會。稽。陳。氏。三。女。	無此六字	北汲三作二
卷		前三行注	吴興公。乘。濟妻姚 北	乘公 汲	見考證
卷		前四行	公孫僧達。 北汲	遠	考證監本訛達○修
卷		前二行	沈升。之 汲北	昇	見考證
卷		前六行	藤。曇恭 北汲	滕	修
卷		前六行注	張悌く 北汲	有等字	
卷	卅四	前三行	劉惠。斐	慧	按惠慧通用
卷		前三行注	慧鏡子曇琤。	浄	見考證
卷		前一行注	梅虫。兒	蟲	
卷	廿五	前三行	于。陁利國 汲	干	修○北千
卷		前十行	猾。 北汲	滑	考證南本訛猾○修
紀卷一	二	前一行	又經客下邳逆旅 汲	邸 北	
卷		前十行	使帝伐。句章	戍 汲北	殿是，見宋書○衲誤，下文恩頻攻句章可證○批修，漏修
卷		前行			
卷	四	前七行	無忌等義徒服。傳詔	服 汲北	修
卷	五	前三行	家無儋。石之儲 汲	擔 北	修儋○殿誤，一石爲石，再石爲儋，見通雅○按

卷	葉	行	元本	殿本	備註
紀卷一	五	前三行			儋，甖也，家無儋石之儲，見楊雄傳
卷		前三行	樗蒱。一擲 汲	蒱 北	修
卷		後五行	是故夕寐霄。興	宵	殿是，見宋書紀一
卷		後九行	忠烈斷金精貫。白。日 汲	白貫 北 宋書	按義熙十一年十二月壬申策有精貫朝日句
卷		後十行	益州刺史毛璩。	璩 汲北	修
卷	六	前九行	契。接。於已替之機	接勢 汲北	按宋書作勢接○批修，未修
卷		前十行	眄。山川以增佇 汲	盼 北	殿誤，見考證，按宋書紀一，按眄訓義視也
卷		後一行	進至羅落。橋	洛	殿誤，見宋史紀一
卷		後十行	焚桓温主於寘。陽門		
卷		行	外	宣 汲北 宋書	修
卷	七	後六行	帝牋。日大將軍	白 汲北	修
卷	八	前一行	誘帝。入蜀	玄 汲北	修
卷		後三行	暘。州刺史	揚 汲北	
卷		後四行	楊。州刺史	揚 汲北	
卷	九	前五行	超留羸。老	羸 汲北	修
卷		後七行	獻馬千疋。	四 汲北	

卷	葉	行	元本	殿本	備註
紀卷一	十	後四行	盧循敗殺于桑落州。	洲	殿是，見宋書紀一
卷		後五行	以杭。朝廷	抗 汲北	
卷		後七行	舳艫。亘千里	艫	殿是
卷	十一	後四行	道覆走還盆。口	湓 汲北	按宋書紀一亦作盆
卷	十二	前二行	楊。州牧	揚 汲北	
卷		後八行	毅至西く疾篤 北	有稱字 汲	殿是，見宋書紀二
卷	十三	前六行	楊。州牧	揚 汲北	
卷		後八行	楊。州牧	揚 汲北	
卷		後十行	楊。州牧	揚 汲北	
卷	十四	前一行	將遣。百寮敦勸	吏 汲北	殿是，按宋書作將吏百餘敦勸
卷		前四行	令。自爲其所 汲北	命	殿誤，見宋書紀二
卷		後五行	甘言詑。方伯襲之以		
卷			輕兵	詑 汲北	殿按宋書作詑，晉書司馬休之傳作詑語○方伯
卷					指劉裕，當從晉書以甘言詑語四字句
卷	十五	前十行	於是罷平北府以併		
卷			大。府 汲	太 北 宋書	殿誤，見宋書紀二，按大府上官之稱，見史記鄧都傳。

卷	葉	行	元本	殿本	備註
紀卷一	十六	前六行	再造區寓。	寓	殿是〇寓字似誤修
卷		後五行	申威龍漢。	漢 汲北	修
卷		後七行	遭。奇擄略	運 汲北	修
卷	十七	前三行	王化阻閡。 汲北	閡	殿誤、見宋書紀二
卷		後三行	大造黔。首 北	黔 汲	修
卷	十八	前二行	封公爲末。公	宋 汲北	修
卷		前五行	爰。相國印綬	授 汲北	修
卷		前五行	使持印。	節 汲北	修
卷	十九	前四行	抱。罪虜乞伏	抱 汲北	仝誤、當作枹、見宋書紀二
卷		後七行	楊。洲牧	揚 汲北	
卷	二十	後四行	進。公。爵爲王 汲北	公進	殿誤、見宋書紀二
卷		後六行	潁川滎。陽	滎 汲北	修
卷		後七行	解楊。洲	揚 汲北	
卷		後九行	設鍾虡。宫縣	簴	按虡簴通見考工記
卷	廿一	前三行	甲寅	仝上 汲北	壬戌後四月内不能有甲寅、下文有甲子〇無考
卷		後六行	王極。而存之	拯 汲北	修

卷	葉	行	元本	殿本	備註
紀卷一	廿三	前一行	天命恃。集	攸 汲北	修
卷		後六行	當受。天命	授	殿誤
卷		後九行	三代揖。讓	揖 汲北	修
卷	廿四	後六行	殯。身不及。者	殯反 汲北	殿是，並見宋書紀三
卷	廿五	後四行	二月乙。丑	已 汲北	下文三月乙丑○殿是，見宋書紀三
卷		後九行	三。校尉官 汲	二 北	殿誤，見宋書紀三
卷	廿六	前六行	楊。州刺史	揚 汲北	
卷		行	羣臣請祈禱神祇。	祗	殿誤
卷		後五行	謝晦屢。從征伐	常	殿誤，按宋書紀三作數
卷	廿七	後二行	末年元。劇	尤 汲北	修，誤修
卷		後六行	左右逍遙	逍遙左右 汲北	殿誤，按宋書紀三作逍遙左右，門字下無內字○左右之任便無一定所在，左右逍遙是，左右後者句
卷		行			法拙。
卷		行			
卷	廿八	前四行	麻繩拂。	拂 汲北	修
卷	廿九	前一行	三。月壬寅 汲	二 北	殿誤，見宋書紀四，按二月已見前
卷		前六行	二年春二月已。卯。朔	全誤	當作癸巳，按是年正月癸亥朔，見宋書五行志五

卷	葉	行	元本	殿本	備註
紀卷一	廿九	前六行			下文乙巳大風蓋越十五日也，宋書紀四乃訛二
卷		行			月作正月
卷		後二行	諷王弘檀道濟求赴		
卷		行	國許○弘等來朝	計 汲北	疑求赴國計四字句○按檀道濟傳作諷道濟
卷		行			入朝
卷	三十	前七行	若夫樂推○所歸	推 汲北	修
紀卷二	三	後四行	大○武皇帝	仝誤	當作太，見北史魏本紀
卷	五	後二行	劒閣○以北	閤	殿誤
卷	六	前九行	並遣使朝賀○	貢 汲北	按宋書紀五作並遣史獻方物
卷	七	前三行	葬元○皇后于長寧陵	袁 汲北	殿誤，見宋書紀五，按文帝袁皇后傳有司奏謚上特詔曰元。
卷		行			
卷	八	後一行	楊○州之浙江西並禁酒	揚 汲北	
卷	九	前七行	日有蝕○之 汲北	食	
卷	十	前二行	己○卯慧星見于昴 汲	乙 北	癸酉後己卯不誤○殿誤，上文癸酉可證
卷		前二行	使巡省○給醫藥 汲	視 北	殿誤
卷		前三行	丁巳	仝誤	是年五月乙酉丁巳戊戌戊申壬子○按是月上有

卷	葉	行	元本	殿本	備註
紀卷二	十一	前三行			乙酉下有壬子中間不得有丁巳〇宋書全誤
卷		前七行	八月癸亥。北	酉 汲	見考證、按宋書紀五亦作癸亥〇考證
卷		後一行	可量加敕。贍	赦 汲北	修〇按涵芬本作敕、北京本作軟、疑敕是。
卷		後四行	淮陽王彧。	彧 汲北	修
卷	十二	前一行	尚書陵。麗	陸 汲北	修
卷		前八行	孝武帝踐祚。汲北	阼	
卷	十三	前三行	元凶弒。逆	弒 汲北	元他處多作殺
卷	十四	前二行	初置殿門及上閤。門		
卷		行	屯兵	閣	殿誤
卷		前三行	以丹楊。尹褚湛之爲尚		
卷		行	書右僕射	陽 汲北	
卷		後三行	停臺省衆官朔望		
卷		行	問訊。	記 汲北	殿誤、見宋書紀六
卷	十六	前九行	以丹楊。尹劉遵考爲尚		
卷		行	書左僕射	陽 汲北	
卷		後七行	芳香。琴堂 汲北	春	殿誤、九行又見

卷	葉	行	元本	殿本	備註
紀卷二	十六	後八行	清景殿。	暑 汲北	殿是、見宋書符瑞志下
卷		後八行	鵶尾中。	鷗 汲北	○無考 修○按鵶鷗同、見廣韵
卷		後八行	一株五莖。	株 汲北	修
卷		後九行	清景殿。	暑 汲北	
卷	十七	前六行	丹楊尹。	陽 汲北	
卷	十八	前一行	丹楊尹。	陽 汲北	
卷		前九行	詳減太。半 汲北	大	殿誤、見宋書紀六
卷		前十行	以人都下疾疾。	疫 汲北	修
卷	廿一	前三行	訊獄。囚 汲北	縣	殿誤、見宋書紀六
卷		前五行	校獵於姑孰。	熟 汲北	
卷	廿三	前五行	沈慶之爲太。尉 汲	大 北	殿誤○北修、未修
卷		前九行	不爲孝武所受。	愛 汲北	修
卷	廿四	後六行	葬帝於丹楊。	陽 汲北	
卷	廿五	前七行	亦非運祚。所及 汲北	作	
卷		前七行	怨結人神。汲	鬼 北	殿誤、見宋書紀七
卷		前九行	山陰々主淫恣過度	有公字 汲北	殿是、見宋書紀七

卷	葉	行	元本	殿本	備註
紀卷三	一	前五行	孝武踐祚○ 汲北	阼	
卷	二	前六行	建安王休二○	仁 汲北	修
卷		前七行	籠○盂蚪	龐 汲北	修
卷	三	前七行	封賞名○有差	各 汲北	修
卷		後四行	魏天○安元年 汲北	大	殿誤、按天安魏獻文帝年號○按太安元年當宋孝武帝孝建二年
卷	四	後九行	原斷徙○猶○黥面	徙猶 汲北	殿徙誤、指上文徙付言、猶是○原斷徙猶黥面三字句
卷		後九行	治○士家口應及坐	冶 汲北	修
卷		後九行	悉依舊結○讁 汲北	詰	
卷	五	後一行	揚○州刺史	揚 汲北	
卷		後六行	悉使婚官○	官 汲北 宋書	修
卷	六	前一行	而○戍追免晉平王	丙 汲北	修
卷		後六行	借張來○云且給三百年	永 汲北	修
卷	七	前九行	副御次副く三十	有又各二字 汲北	殿是
卷	八	前二行	並聽還本く	衍土字 汲北	

卷	葉	行	元本	殿本	備註
紀卷三	八	前四行	冬十二月亥卯。朔 汲北	亥	殿誤、下文有乙巳可證
卷	九	後一行	揚。州刺史	揚 汲北	
卷		後八行	葬丹楊。秣陵	陽 汲北	
卷	十	前一行	徒路。蹲踞 汲北	跣	殿是
卷		前一行	外畏。大臣	憚 汲北	
卷	十一	前八行	取肝胏。	肺 汲北	殿是
卷		後五行	加揚。州刺史	揚 汲北	
卷		後五行	加都督楊。南豫二州		
卷		行	諸軍事	揚 汲北	
卷	十二	後四行	抑。世隆	柳 汲北	脩
卷		後七行	楊。州刺史	揚 汲北	
卷		後十行	以輔國將軍楊。文弘		
卷		行	爲北秦州刺史	楊 汲北	
卷	十三	前二行	以楊。州刺史晉熙王		
卷		行	變爲司徒	揚 汲北	
卷	十四	前三行	明帝〻猜忍之情	有因字 汲北	殿是

卷	葉	行	元本	殿本	備註
紀卷四	五	前一行	一發即中帝齊	臍 汲北	按齊臍通，見左傳
卷		後二行	叩門大自○言報帝	聲 汲北	按南齊書王敬則傳作於門外大呼曰是敬則耳○大聲言報帝亦不可解
卷		前後行			
卷	七	前八行	楊○州牧	揚 汲北	
卷		後四行	揔百揆○	揆 汲北	修
卷		後七行	威武○五行	侮 汲北南齊	殿是
卷		後十行	博陸○匡漢	陸 汲北	修
卷	八	前一行	袁鄧○構禍	劉 汲北	南齊書亦作劉○殿誤 按袁鄧指袁顗、鄧琬，事見泰始元年
卷		前後行			
卷		前六行	黔○黎奄墜 北	黔 汲	修
卷		前十行	公忠○誠慷慨 汲北	議	殿誤，見南齊書紀一
卷		後十行	宣○陽底定 北	揚 汲	殿誤，見南齊書紀一
卷	九	前三行	黔○首相悲	黔 汲北	修
卷		前九行	正睛○與皦日同亮	情 汲北南齊	修
卷		後四行	弼子○一人	予 汲北	修
卷	十	後一行	楊○州牧	揚 汲北	

卷	葉	行	元本	殿本	備註
紀卷四十	十	前三行	儀形。區宇	刑 汲北	殿是○形刑不通用
卷		後十行	禦冗。以刑	宂 汲北	修
卷	十一	前十行	南兗州之盱台。汲北	眙	字書云盱眙通盱台，但未指證○按台眙通
卷		後三行	乘金銀。車	根 汲北	修
卷	十二	前二行	爰逮有。晉	自 汲北	殿誤
卷		前九行	命司裘。而謁蒼昊 汲北	裘	殿是、見考證、見周禮
卷		後一行	遣。兼太保司空褚		
卷		行	彥。田 汲北	遺	殿誤
卷		後九行	人固請	又 汲北	修
卷	十三	前九行	人神。無統 汲	臣 北	殿誤、見南齊紀二
卷		後六行	築宮於丹楊。故縣	陽 汲北	
卷	十四	前四行	乃傳太官。池塞稅	宮 汲北	殿誤、見南齊紀二
卷		後十行	以二吳。義興三郡	吳 汲北	修
卷	十五	後九行	以河南王世子吐谷渾		
卷		行	度易。侯爲西秦河二		
卷		行	州刺史	陽 汲北	殿誤、見夷貊傳下吐谷渾

卷	葉	行	元本	殿本	備註
紀卷四	十六	前三行	召。司徒褚彦回	詔 汲北	殿誤，見南齊書紀二
卷		前後行			
卷		前後行			
卷	十七	後十行	簡大。堅白字色乃黃	文 汲北	殿誤，按大乃木之訛，見南齊祥瑞志
卷	十八	前五行	得賢帥。	師 汲北	殿誤，見南齊祥瑞志
卷		前五行	刻。石者誰	剡 汲北	殿誤，見南齊祥瑞志
卷		前六行	秦望之風。也	仝誤	當作封，見南齊祥瑞志
卷		後四行	齊川。之	刈 汲北	修
卷	十九	後八行	狀若花。蓋 北	華 汲	
卷		後十行	連。水阻涸	遭 汲北	殿誤，見考證，按連疑漣之訛，漣水在桂陽，見水經注
卷		前後行			
卷	廿一	前三行	輒送脩城錢二。千 汲	一 北	無考
卷	廿二	前三行	可還田。秩 汲北	舊	修旧〇誤修
卷		後四行	丹楊。尹	陽 汲北	
卷		後八行	隨宜掩理。	埋 汲北	修
卷	廿四	前八行	祀南郊大射。	敕 汲北	修

卷	葉	行	元本	殿本	備註
紀卷四	廿五	前五行	立太。子子建	皇 汲北	修
卷		後十行	爲人。後者	父 汲北 南齊書紀三	殿誤
卷	廿七	前一行	今可用東王。處地	三 汲北	修
卷		前七行	絓。有功德事 汲北	應 南齊書	疑維之訛
卷		後九行	豈惟天厭水行固已人		
卷		行	希木。德 汲	水 北	殿誤、見南齊書紀二史臣論
紀卷五	一	後八行	池田邸治。	冶 汲北	修
卷		後八行	多。無事實	少 汲北	殿誤
卷	五	前五行	內。外。淆雜 汲	外內 北	
卷	七	前四行	逞。州刺史	郢 汲北	修
卷		後九行	靈者神明之目也。武。		
卷		行	帝晏駕	漢文 汲北	殿誤、按武帝指齊武帝言
卷	八	前一行	比。又奪朱之效也	此 汲北	修
卷		前三行	實爲忽。遽	忽 汲北	
卷		前五行	高宗。明皇帝 汲	祖 北	殿誤、見南齊紀六
卷	九	後四行	寶夤。爲建安王 汲	寅 北	按南齊明七王傳作寅

卷	葉	行	元本	殿本	備註
紀卷五	十	前一行	宣德太僕〻劉朗之	右 衍射字 汲北	殿右字誤，見南齊百官志
卷	十二	前四行	三月丙午。	甲 汲北	殿誤，見南齊紀六
卷		後一行	江祐。可右僕射	祐 汲北	修
卷		後八行	悉剔。取金銀	脱取字 汲北	見南齊紀六
卷	十三	前二行	信道術。	術 汲北	修
卷		前八行	欲南引推。流	淮 汲北	修
卷		後一行	鎭此。將軍	北 汲北	修
卷		後五行	王侯貴人昏連巹。以		
卷		行	眞銀盃	巹 汲北	修○當作巹○巹乃巹之俗字，無巹字
卷		後十行	竟陵王昭胄。爲巴陵		
卷		行	王	全誤 汲北	當作冑，見南齊武十七王傳
卷	十五	前一行	右僕射蕭。惠休	蕭 汲北	修
卷		後一行	秋七月甲申。 汲	辰 北	殿誤，見南齊紀七
卷		後九行	詰。百官	詔 汲北	南齊詔大赦，天下百官陳讜言
卷	十六	前五行	建安王寶夤。	寅 汲北	
卷	十七	後二行	備諸雕坊。	巧 汲北 南齊	修

卷葉行	元本	殿本	備註
紀卷五 十七 前六行	璹瑁帖。箭 汲	帖 北	殿誤，見南齊紀七○批修，未修
卷 十六 後七行	推置。水中 汲	至 北	殿誤，見南齊紀七
卷 十九 前三行	藏朱雀航南洒盧。	壚 汲北	修○按前漢書食貨志及司馬相如傳並作盧（史記作鑪、晉書作鑪、又王戎傳作壚）○原批修，誤修。
卷 前後行			
卷 前後行			
卷 二十 前十行	虎。珀釧一隻	琥	
卷 後七行	少府太。官	大 汲北	修○據板本則甲本太，乙本大○按大讀如太，本可不修○批修，誤修。
卷 後九行	率。無一生 汲	卒 北	
卷 廿五 後一行	改封建安王寶夤。	寅 北	
卷 前後行	爲鄱陽王 汲	寅 北	
卷 後八行	建安王寶夤。	寅 北	
卷 後十行	四月辛酉。 汲	丑 北	殿誤，見南齊紀八及梁書紀一
卷 廿六 前三行	雲俛。眉未對	首 汲北	
卷 後七行	反縛。黃麗	縛 北	修縛○汲縛
卷 廿七 前十行	東昏以卷矣。 汲北	名	按以卷作己老解亦通

卷	葉	行	元本	殿本	備註
紀卷六	一	後九行	推。鋒決勝	推 汲北	殿誤，按推鋒萬里見天監元年告天文
卷	二	前一行	皇考嘗。問訊 汲	常 北	殿誤
卷		前十行	衛軍王儉東閤。	閣	殿誤
卷		後九行	爲帳内軍主。	王 汲北	殿誤，見梁書紀一
卷	三	前二行	欲爲豎刀。邪	刁 汲北	修
卷	四	前二行	三方犄。角	掎 北	修○汲掎
卷		前八行	揚。州刺史	楊 汲北	
卷	五	前十行	分日怙。敕	帖 汲北 梁書紀二	修
卷	六	後七行	彼聞。必謂行事	閒 汲北 梁書	疑是間字
卷	八	後四行	誰不襲。服	讋 汲北	修
卷		後五行	人情理當兇。懼 汲	恟 北	
卷	九	前三行	二尚方二治。囚徒 汲	冶 北	修
卷		前七行	命諸軍以〻進路	有次字 北汲 梁書紀一	
卷		前九行	留其子武。牙守盆		
卷		行	城 汲	虎 北	按梁書作獸以避唐諱
卷		前十行	南豫州刺史甲。胄	申 汲北	修

卷	葉	行	元本	殿本	備註
紀卷六	九	前一行 後一行	姑孰○	孰 汲北	
卷		前一行 後一行	恒○有兩龍導引 汲	常	
卷		前五行 後五行	斯○亭城主	新 汲北	修
卷	十	前三行 後三行	椅○角奔之	掎 北	修○汲犄
卷		前五行 後五行	諸軍並霄○潰	宵 汲北	修
卷		前十行 後十行	甲○冑	申 汲北	修
卷		前十行 後十行	姑孰○	孰 汲北	
卷	十一	前六行 後六行	精加訊○辯	訊 汲北	修
卷	十二	前七行 後七行	激楊○大節	揚 汲北	修
卷		前八行 後八行	謀猷深者○	著 汲北	修
卷		前八行 後八行	厥猶○雖遠	猷 汲北	按猶猷古通，見詩小雅
卷		前二行 後二行	咫尺剋究○	寇 汲北	修
卷		前三行 後三行	瞻○烏巴○及	瞻巳 汲北	均修
卷		前六行 後六行	投伏○萬里	袂 汲北	修
卷		前八行 後八行	陵兹地儉○	險 汲北	修○按儉險通，見荀子富國篇
卷		前九行 後九行	緣江資○險	負 汲北 梁書	袂誤○漏修

卷	葉	行	元本	殿本	備註
紀卷六	十三	後三行	極。其將魚、	拯	殿是、見梁書
卷		後四行	駐。其袒。髮解茲亂綱。汲	驅袒綱 北梁書	汲作袒〇修〇殿驅、綱是
卷	十四	後十行	容光必至。汲	照、北	殿誤、見梁書紀一
卷	十五	前一行	彤弓十。彤矢百 汲	一 北梁書	按左傳一是
卷		前一行	盧弓百。盧矢千 汲	十 北梁書	
卷		前八行	贈三。璜	王、汲北	修
卷	十六	後四行	姑熟。	孰 汲北	
卷		後六行	惟昔遂。古之載 梁書	邃 汲北	修
卷		後九行	空格 器御八紘	公 紘 汲北	修紘〇梁書公
卷	十七	前二行	及於菁。華内竭	精 汲北 梁書	
卷	十九	前四行	並聽還本<	衍土字 汲北	見梁書紀二
卷		後一行	官給稟。食	廩	
卷		後五行	姑熟。	孰 汲北	
卷		後八行	依名謄。奏	騰 汲北	修
卷	二十	前二行	以新除謝沐。公蕭		
卷		行	寶義爲巴陵王 汲北	沐	殿誤、見梁書紀二、按謝沐屬臨賀郡、見南齊州

卷	葉	行	元本	殿本	備註
紀卷六	二十	前二行			郡志下
卷		前七行	功在河○策	可 汲北 梁書	河策疑地名，上一字河下一字當有訛，可策二字似誤曰在曰可，文殊不貫。
卷		後前行			
卷		前七行	犀兕徙○弊	徒 汲北	修
卷		後二行	詔以憲綱○日弛	綱 汲北	憲綱是，但梁書亦綱。
卷	廿一	前十行	乙巳○ 汲北	丑	兩日均可有○見考證○殿是，見梁書○殿是，梁書上文有丁巳，下文有壬申
卷		後前行			
卷	廿四	前三行	脩○建○二陵 汲	建脩 北	按建脩二陵各見紀七大同十年，武皇帝葬于脩陵，脩陵高祖陵
卷		後前行			
卷	廿五	前三行	戊子○ 汲北	申 梁書紀二	見考證○上為辛丑，下不得有戊子。
卷		前九行	自今捕讁○之家 汲	譴 北	殿誤，見梁書紀二
卷		後九行	詔明○下遠	明 汲北	據廿六葉後三行當作班○梁書明
卷	廿六	前九行	繹為東○湘○王 汲北	湘東	衲誤，見梁書紀二、紀五
卷		後四行	丙寅○ 汲北	辰	按是月乙巳朔不得有丙寅○梁書紀二同誤寅○殿是，下文有丁巳上文有乙巳朔
卷		後前行			
紀卷七	一	前四行	揚○州刺史	揚 汲北	

卷	葉	行	元本	殿本	備註
紀卷七	一	前十行	吳郡太守王暕。	暕 汲北	殿誤，見梁書傳十五
卷	二	後六行	三月辛巳	二 汲北	修
卷	三	前十行	臨淮王彧。	彧 汲北	修，見考證
卷	四	前三行	衛州刺史 汲	豫 北梁書	殿是
卷		後一行	魏將尔朱爾。	榮 汲北	修
卷	五	前五行	其黨奉魏空格廣王		
卷		行	暉爲主	長 汲北	殿是
卷		後二行	並賜湯沐。汲北	沭	殿誤，此疑誤印
卷		後九行	勃海王	渤 汲北	按勃渤通，魏書地形志作渤
卷		後十行	勃海太守	渤 汲北	
卷	六	前七行	楊州刺史	揚 汲北	
卷		後四行	勃海王	渤 汲北	
卷		後五行	勃海	渤 汲北	
卷		後六行	平陽王脩。	修 汲北	
卷		後六行	改中興二年爲太昌 汲北	大	殿誤，見北史魏本紀
卷	七	前七行	盤盤等國。汲	脱等字 北	

卷	葉	行	元本	殿本	備註
紀卷七	七	前一行	遣使朝。貢 汲	進 北	
卷		後十行	並設無㝵。會	碍 汲北	㝵礙同、見説文、漢書作㝵、正字通碍爲礙之俗字
卷		行			
卷	八	前九行	無㝵。會	碍 汲北	
卷		前十行	無㝵。大會	碍 汲北	
卷		後七行	無㝵。法會	碍 汲北	
卷		後九行	設無㝵。法喜食	碍 汲北	
卷	九	前四行	以東治。徒	冶 汲北	修
卷		前十行	丹楊。尹	陽 汲北	
卷		後二行	三。郊請用素輦 汲北	二	見梁書紀三、見考證
卷	十	前一行	勤。加守護	勤 汲北	修〇見考證〇誤修
卷		前九行	以行宕昌王梁弥奉。	泰 汲北	修
卷		後六行	安城邵。人	郡 汲北	修
卷		後十行	賁將范脩。 汲北	脩	
卷	十一	前五行	哭于脩。陵 北	脩 汲	
卷		後九行	李賨。竄入屈獠洞	賨 汲北	見紀九〇修

卷	葉	行	元本	殿本	備註
紀卷七	十二	前二行	章○天有聲	竟 汲北	修
卷		前十行	勃○海王	渤 汲北	
卷		後九行	四月庚寅○ 汲北	午 汲北	本年正月己亥朔，四月內庚午，庚寅無有○殿是，下文戊寅奉表、丁亥還宮可證
卷		行			
卷	十三	前十行	兩見○相承	月 汲北	修
卷		前十行	月○于西方	見 汲北	修
卷		後九行	八月戊戌○ 汲	辰 北	殿誤，見梁書紀三
卷	十四	前一行	鼇○人死	鼈 汲北	修
卷		前三行	屯丹楊○郡	陽 汲北	
卷		前三行	景自横江濟採○石	采 汲北	
卷	十五	前五行	入援百○三十餘萬	者 汲北	修
卷		前八行	援軍名○退	各 汲北	修
卷		後八行	即於鎮○山造大愛敬		
卷		行	寺 汲	鍾 北	殿是，見梁書紀三
卷	十六	前一行	然○燭側光	燃 汲北	按燃本作然，見說文
卷		後一行	銘說○箴頌	誄 汲北 梁書紀三	

卷	葉	行	元本	殿本	本備註
紀卷七	十七	前六行	宣武王入援。	援 汲北	修
卷		後五行	慟于閶。下	閤 汲北	修閤
卷		後九行	四月十四日而火。起。之始		
卷		行	自浮屠第三層	起火 汲北	四月十四日而火句，火起之始省火字
紀卷八	一	前三行	簡。又皇帝	文 汲北	修
卷		前六行	對夾。	弈 汲北	未批修，修
卷		前九行	移還。東宮 汲	遷 北	三年七月以修繕東宮，暫居東府〇殿誤，見梁
卷		行			書紀四
卷	二	前一行	自今。悉不加將軍	令 汲北	殿誤
卷		前八行	遜位。于齊	于 汲北	修
卷	三	前三行	僞衛尉卿彭儁。	儁 汲北	四葉後十行儁
卷		前八行	越外。非次	升 汲北	修
卷		後二行	帝崩於。求福省	永 汲北	上文前八行幽帝於永福省〇修
卷		後七行	直髮。委地	髮 汲北	
卷	四	前九行	沐。浴經三卷 汲	沐 北	殿誤
卷		前十行	新。僧白澤圖五卷	增 汲北	殿是〇隋書經籍志三五行類有白澤圖一卷

卷	葉	行	元本	殿本	備註
紀卷八	五	前三行	雋進士囊 汲北	士	殿誤，見梁書紀四
卷		後五行	十三年。封湘東王 汲北	模糊	
卷		後十行	何藉上台之位。	重 汲北	殿誤，按位對上名言
卷		後十行	投筆流 殘	淚 汲北	未批修、修
卷	六	前十行	而結。爲兄弟	約 汲北	
卷		後十行	援。巴陵	援 梁書 汲北	修
卷	七	後一行	告明堂太社 汲	大 北	殿誤，見梁書紀五
卷		後一行	己丑僧辨。等	辯 汲北	修
卷	八	前二行	龍遁。未殯	輴 梁書 汲北	殿是
卷		前四行	六軍担。哭	祖 梁書	修 汲北祖
卷		前五行	謙冲。汲北	沖	
卷		前六行	帝閤。云吽	閤 梁書 汲北	修
卷		前七行	丹宂。	穴 汲北	修宂
卷		前八行	踰岐山而事王。	主 梁書 汲北	修○王指太王言、不訛
卷		後六行	拂〱衣而游廣城 汲	有衿字	批誤，復批是○北移
卷		後八行	壘匪。禮曠	䈁 汲北	殿是○按䈁古作匪，見說文

卷葉行	元本	殿本	備註
紀卷八 八葉 後八行	壘。匪禮曠	壘 汲北	殿是
卷 九葉 前七行	解五年。於冀州	牛 梁書 汲北	修
卷 前九行	宣猛將軍 歪	猛 汲北	移正
卷 後二行	拜謁塋。陵 汲	茔 北	修 從土
卷 後十行	十月乙。未 汲		考證監本訛已，今不訛○北已
卷 十葉 前九行	文宣大。后	太 汲北	修
卷 後七行	尉遲迴。	迥 北史 汲北	魏大將尉遲迥，查魏書○修
卷 後八行	以城納迴。	迥 汲北	修
卷 後十行	尉遲迴。平蜀	迥 汲北	修
卷 後十行	及將邢景。	杲 汲北	
卷 後十行	遠步大。汗薩 北	六 汲	見考證、監本訛大○殿誤 按步大汗薩見北齊傳十二 梁書亦訛六，考證未確
卷 行			
卷 十二葉 前十行	賦詩無。廢	不 汲北	
卷 後三行	因抵於地。	城	殿誤○北汲抵地
卷 十三葉 前一行	明年四方。	月	修
卷 後二行	天寸。英發	才 梁書 汲北	修

卷	葉	行	元本	殿本	備註
紀卷八	十三	後一行	多狙。忌	猜 汲北	狙何也
卷		後七行	其虛矯。如此 汲北		考證監本訛矯，今不訛
卷	十四	前五行	使講。三禮 汲北	議	殿誤，見賀瑒傳
卷		前七行	後必當壁。	壁 汲北	修
卷		前十行	文軌。所同	軌 汲北	修
卷		後十行	荅仁又求自扶。汲北	將	據上文不便乘馬、則扶字自可通、據下文荅仁又請守子城，則將字亦可通〇殿誤、據上文勸帝乘暗潰圍及帝不便馳馬，則扶持上馬自是事。實
卷		行			
卷		行			
卷		行			
卷	十五	後九行	皆。殺之 汲	俱 汲北	
卷		後十行	遣左右季心往 空格	看 汲北	補
卷	十六	前四行	終不修改。汲北	廟	殿誤，承上文崩倒傾頹言
卷		前五行	丹楊。尹	陽 汲北	
卷		前五行	汪。漢書一百十五卷	注 梁書 汲北	修
卷		後一行	昔年龍出建康淮而。		
卷		行	天下大亂	西 汲北	

卷	葉	行	元本	殿本	三本	備註
紀卷八	十七	前三行	陳霸光。	先 汲北		修
卷		前六行	以郢州附齊	郢 梁書 汲北		修
卷		前七行	江州刺史侯瑱。	瑱 梁書 汲北		修
卷		前八行	自採。石濟江	采 汲北		
卷		後九行	至採。石迎齊援	采		
卷	十八	前五行	圍臨海太守王懷振			
卷		行	於剡巖。	岩 汲北		
卷		前九行	是日齊人 空二格	來聘 汲北		補
卷		前十行	蕭軓。	軌 梁書		汲北軓○修○考證監本訛軓○據本書陳本紀九第六葉後八行作軌○考證謂从齊書、梁書、陳書改軌、蕭軌無專傳
卷		行				
卷		行				
卷		後三行	入丹楊縣。	陽 汲北		
卷	十九	後十行	守聘。所常遵	國 汲北		
卷	二十	前九行	内崇講肆。	肄 汲北		殿誤、按講肆猶言講堂
卷		後十行	華靡靡之商。俗	商 汲北		修
卷	廿一	前一行	闡揚。儒業	揚 汲北		修

卷	葉	行	元本	殿本	備註
紀卷八	廿一	前一行	祈。衝尊俎	折 汲北	修
卷		前六行	厠蒼頭之位。汲	伍 梁書北	
卷	廿三	前六行	一言而及。葅醢 汲北	反	殿誤
卷		前七行	怵。於邪説 汲北	怵	修
卷		前九行	此焉假手。	乎	殿誤
卷		後二行	何補金陵之覆没<救		
卷		後前行	江陵之滅亡哉 汲	有何字	北沒何
紀卷九	一	前八行	盱台。太守	貽 汲北	按台貽通
卷		後七行	徙爲新諭侯	喻 汲北	殿誤，按新諭屬荆州，見晉書地理志下○喻諭通○諭喻雖通，地名似不著爲妥
卷		後前行			
卷		後十行	士。人李賁	土 汲北	修
卷	二	前十行	交阯叛換。	渙 汲北	殿誤，見前漢敘傳
卷	三	前八行	舟艦兵伏。	仗 汲北	修
卷	四	前三行	仍次秦。洲	蔡 汲北	修
卷		前五行	乃以舡。艕	般 北	修敘○汲般
卷		前十行	賊徙。甚寡	徒 汲北	修

南史 校勘記 紀八·紀九 三三頁

卷	葉	行	元本	殿本	備註
紀卷九	四	前三行	齊遣將辛術圍嚴		殿是，見陳書紀一
卷		行	超達摩○秦郡 汲	于 北	修
卷		後七行	帝旋○鎮京口	旋 汲北	殿誤，見陳書紀一
卷		前二行	竟有何辜○	事 汲北	殿誤，見陳書紀一
卷	五	前三行	及錦綵○金銀	綿 汲北	修
卷		後一行	稼○吳興	據 汲北	修
卷		後三行	櫞○城入齊	據 汲北	修
卷		後九行	度采○粟三萬石	米 汲北	修
卷	六	前二行	往南州採○石以迎	采 汲北	陳書紀一採
卷		前五行	度惟○置陣	淮 汲北	修
卷		前六行	煙塵張○天	漲 汲北	修○殿誤，見陳書紀一○按張與漲通，見左傳○批修，誤修
卷		行			
卷		後九行	東○廣州刺史	東 汲北	修
卷		後十行	出柵口白○梁山	向 汲北	修
卷	七	後六行	娓○以鴨肉	混 汲北	殿誤，見通鑑梁敬帝太平元年
卷	八	前一行	皆謂爲厲象○	是 汲北	可通，衆屬下讀

南史

校勘記 紀九

卷	葉	行	元本	殿本	備註
紀卷九	九	前一行	光啓中興く此則公之	有蕩寧上國四字 北	按陳書紀一，蕩寧上國四字在光字上
卷		行	大造 汲		
卷		後七行	番。部阽危 汲	蕃 北	殿誤，見陳書紀一
卷		後七行	袄壘涸。開	洞 汲北	修
卷	十	後七行	遠邇崩。心	朋 汲北 陳書紀一	衲誤
卷	十一	前九行	衣。製。杖戎	秉羽 汲北	殿誤，見陳書紀一○見左傳
卷		行			
卷		前十行	金鉦具。戎	且 陳書 汲北	
卷		後四行	浮江下懶。	瀨 汲北	修
卷		後五行	一朝翦摻。	撲 汲北	修
卷		後七行	吳濞已鏦。 汲北	縱 陳書紀一	見考證
卷		後十行	仄。食高春 汲北	昃 陳書	
卷	十二	前五行	禮樂。兼文質	無樂字 汲北	刪
卷		後二行	南丹楊。	陽 汲北	
卷		後七行	金武。符	虎 汲北	
卷	十三	前二行	玄牡。二駟	牲 汲	殿誤○北挖改

卷	葉	行	元本	殿本	備註
紀卷九	十三	前七行	抑揚。清濁	揚 汲北	修
卷		前九行	是用錫公、武賁之士		
卷		行	三百人	虎 汲北	
卷		後一行	跨厲嵩滇。汲	滇 北	衲誤、見陳紀一
卷	十四	前二行	故靡得而詳焉	議 汲北	殿誤、見陳書紀一
卷		前四行	如脫。弊屣	弊 北	修○汲敝
卷		前十行	乃聚天成	息 北	殿是、見陳書紀一○汲空格○息尚暨
卷		前十行	輕筭。龜鼎	弄 汲北	殿是、陳紀一○未批修、修筭
卷		後六行	嶺南叛換。	渙 汲北	殿誤、見前漢書敘傳
卷		後八行	下漏深泉 汲	淵 北	
卷		後十行	天之 空格 數	歷 汲北	未批補、補
卷	十五	前三行	標。郊祀帝	禋 汲北	修
卷		後二行	大極。橫流	拯 汲北	修
卷		後七行	百姓須王。汲北	主 北 陳紀二	
卷	十六	前三行	有孔。鄉論清議	犯 汲北	修
卷		後三行	祔子。太廟	于 汲北	修

卷	葉	行	元本	殿本	備註
紀卷九	十七	前七行	辛酉 汲	丑 北	上文乙未壬寅、下文壬戌〇殿誤、見陳書紀二、
卷		行			見考證
卷		前九行	大極殿被焚	太 汲北	修
卷		後七行	設無㝵大會	碍 汲北	
卷	十八	前五行	服朱紗裹通天冠	袍 汲北	殿是、見南齊輿服志
卷		後二行	中書令謝哲	晳 汲北	殿是、陳書紀二、陳傳五
卷	十九	前一行	降功茂德	隆 汲北	修
卷	二十	前三行	徙封始興嗣王	徒 汲北	修
卷		前三行	頊爲安成王	項 汲北	修
卷		後三行	庚于分遣使者	子 汲北	修
卷		後十行	江寧舊塋	瑩 汲北	修
卷		後十行	悉同梁典 汲	用 北	殿是、陳書紀二
卷	廿一	前四行	齊孝昭帝廢太子殷		
卷		行	而自立	其主 汲北	按殷爲北齊廢帝
卷	廿二	前一行	設帷宮於南郊	帷 汲北	修
卷		後二行	三月梁宣帝殂	二 汲北	修

卷	葉	行	元本	殿本	備註
紀卷九	廿三	前三行	設無㝵。大會	碍 汲北	
卷		前九行	以故護軍將軍周鐵		
卷		行	、武。配食、武帝廟庭	虎 汲北	
卷	廿五	前九行	顯言排斤。	斥 汲北	修
卷		後十行	賴元相維待。	持 汲北	修
卷	廿六	前一行	於。氛是滅	袄 汲北	修
卷		前一行	於是密詔。華皎	謂 汲北	殿誤、見陳書紀四
卷		後一行	〈外宜依舊典奉迎		
卷		行	輿駕	有中字 汲北	殿是、陳紀四
紀卷十	一	後六行	太。赦	大 汲北	修
卷	二	前三行	耕藉。田 汲	籍 北	
卷		後六行	耕藉。田 汲	籍 北	
卷	三	後十行	耕藉。田 汲	籍 北	
卷	四	前三行	爲尚書右。僕射 汲	脱右字 北	見陳書紀五
卷		前十行	神獸。門 汲	虎 北	
卷	五	前一行	耕藉。田 汲	籍 北	

卷	葉	行	元本	殿本	備註
紀卷十	五	前四行	臨擔○衆	誓 汲北	修擔
卷	六	後七行	剋祐○州城	柘 北	殿誤，見陳書紀五○汲訛祏
卷	七	前十行	王○日一臨	三 汲北	修
卷	八	前九行	設無旱○大會	碍 汲北	
卷		後四行	度○物化生 北	庶 汲	殿是，陳書紀六
卷		後五行	狹○邪左道	挾 汲北	殿誤，陳書紀六作挾
卷		後八行	設無旱○大會	碍 汲北	
卷	九	後十行	爲樂○山王 汲北	岳	殿是，陳紀六○殿誤，按樂山屬廣州樂昌郡，見南齊州郡志上。
卷		行			
卷	十	前二行	幸長于○寺	干 汲北	修
卷		前七行	肆○艫艦 北	肄 汲	殿誤，見陳書紀六○肆，陳也
卷		前八行	尚書僕射江摠○	總	殿誤，見陳書傳二十一○修摠
卷		後六行	東揚○州刺史	揚 汲北	修
卷		後九行	入石頭〱淮至于青		
卷		行	塘兩岸 汲	有渡字 北 陳紀六	
卷		後十行	數目○自死	日 汲北	修

卷	葉	行	元本	殿本	三本	備註
紀卷十	十一	前一行	東治。鑄鐵	冶 汲北		修
卷		前四行	衮憲。爲尚書僕射	袁 汲北		修
卷		前六行	立皇子藩。爲吳王	蕃 北		陳紀蕃〇殿誤，見陳書傳二十二後主諸子〇汲訛潘
卷		行				
卷		前七行	訦。獄	訊 汲北		
卷		後十行	蔣山栢。林	栢 汲北		修
卷	十三	前二行	後王。聞之	主 汲北		修
卷		前五行	尋召。二王赴期明年			
卷		行	元會 汲	詔 北		殿誤
卷		前七行	上流諸州丘。	兵 汲北		修
卷		前十行	孔範 空二格	亦言 汲北		
卷		前十行	無度。江理	渡 汲北		
卷		後二行	韓擒〻。趨横江濟	有虎字 汲北		避唐諱省虎字〇按韓擒虎，隋書傳文作韓擒
卷		後三行	晨襲。採石	采 汲北		
卷		後五行	採。石戍主	采 汲北		
卷		後十行	韓擒〻又陷南豫州	有虎字 汲北		

卷	葉	行	元本	殿本	備註
紀卷十	十四	前二行	韓擒〻率衆	有虎字 汲北	
卷		前三行	出降擒〻	有虎字 汲北	
卷		前三行	仍引擒〻經朱雀航		
卷		行	趣宮城	有虎字 汲北	
卷		前六行	未可及當	交 汲北	
卷		後九行	列陳之輿	車 汲北	
卷		後十行	崩器物於庭	服 汲北	修
卷	十六	前九行	封長城縣公 汲	安 北	殿誤，見陳書紀六
卷		後二行	柘土開疆	拓 汲北	修
傳卷一	二	後九行	舊儗九棘 汲北	棘	見考證
卷	三	前一行	復置昭容 汲	立 北	殿誤，按置貴妃、置昭儀、置華並見前
卷		後三行	諫壁里 汲	練壁	殿誤
卷		後三行	雲山	雩 汲北 宋書	雲誤修，見考證○修雩
卷	四	後四行	遷陵永平鄉君 汲北	封永陵 宋書	見考證
卷	五	前七行	初拜宜都王娠 汲	妃 北	修
卷		後六行	至后殿户外 汲北	後	殿誤，見宋書文帝袁皇后傳

卷	葉	行	元本	殿本	備註
傳卷一	六	前二行	爲豫章郡新淦。平樂		
卷		後行	鄉君 汲	淦 宋書北	殿是
卷		前八行	丹楊。建康人也	陽 汲北	
卷		前二行	故人間。咸有醜聲	或	殿誤、見宋書文帝路淑媛傳
卷		前二行	亦莫能辨也。汲	辯 北	殿誤、見宋書文帝路淑媛傳
卷	七	前五行	晉安王子勛未平。汲	卒 北	殿誤、子勛稱帝在泰始二年、見宋書傳四十〇宋
卷		前後行			書亦訛卒
卷	八	前三行	南郡王義宣。	義 汲北	脩
卷	十	前三行	令。大醫	太 汲北	脩
卷		前六行	丹楊。宮	陽 汲北	
卷		前七行	汝陰王太妃。汲北	后	殿誤、見宋書明恭王皇后傳
卷		前七行	殂于丹楊。	陽 汲北	
卷		前九行	丹楊。建康屠家女也	陽 汲北	
卷	十一	前八行	丹楊。建康人也	陽 汲北	
卷		後九行	釁而乳驚因此豐足	仝上汲北	似應乙轉〇南齊書傳一作覺而乳大出
卷	十三	前六行	竝密。印書青綬 汲	蜜 畫北	殿均是、見考證

卷	葉	行	元本	殿本	備註
傳卷一	十三	前一行	超。宋元嘉中	起 汲北	修
卷		後七行	置鍾磬兩箱。汲	廂 北	按箱廂同，見儀禮
卷		後八行	載宮人從。從車置內		
卷		行	深隱 汲	後宮 北 汲注一作同	見考證，按南齊書武穆裴皇后傳作「載宮人從後車宮內深隱」。
卷		行			
傳卷二	一	前十行	後主沈皇妃。	后 汲北	修
卷	二	前三行	從父。弟弘策 汲	脫父字 北	見梁書張弘策傳
卷		前十行	齊建元末。	末 汲北	修
卷	三	前一行	而。貴嬪弗之覺也 汲	無而字 北	
卷		前四行	貴嬪生而有赤誌。在		
卷		行	左臂 汲	痣 北	按誌痣通，見史記高祖紀師古注
卷		後五行	詣神獸。門 汲	虎 北	
卷	五	前六行	瑶。光寺	瑶 汲北	修
卷		前八行	蕭漂。陽馬 汲北	溧	見考證
卷		後五行	西州聽事。汲	廳 北	按廳古作聽，見集韵
卷	九	前一行	大。建三年。汲	仝誤 二北	大仝誤，當作太○二殿誤，見陳書後主沈皇后傳

卷	葉	行	元本	殿本	備註
傳卷二	十	前九行	妃。絕后庭	冠 汲北	修
卷	十一	前一行	因晉之舊興。	典 汲北	修
傳卷三	一	前四行	揚。州刺史	揚 汲北 宋傳十一	
卷		前六行	豈不如十歲兒。邪	子 汲北	殿誤,見宋書長沙景王道憐傳
卷	二	前一行	其庸底。類如此 汲	鄙 北 汲注一作同	按宋書道憐亦作底
卷	三	前四行	殷宗禁之	每 汲北 宋書	
卷		後七行	丹楊。郡	陽 汲北	
卷		後九行	手振。不自禁 汲	衣 北	殿誤
卷	四	後二行	有同。至諱 北 汲注一作同	主 汲	
卷		後二行	見在。殺母	枉 汲北	
卷	六	後四行	爲丹楊。尹	陽 汲北	
卷	七	後九行	王弘爲。江州	在 汲北	王弘爲江州刺史,見宋書傳二〇殿誤,見宋書臨川烈武王道規傳
卷		後行			
卷		後十行	卿。位尚卑	郎 汲北	殿誤,按敵體相呼爲卿,見韻會。鮑照爲郎,無可考證。
卷		後行			
卷	九	後一行	故喜。得。之 汲	善待 北	梁書劉孝綽傳〇見考證

南史　校勘記　傳二·傳三　四四頁

卷	葉	行	元本	殿本	備註
傳卷三	十	後二行	二。年乃肉袒請罪 汲	三 北	殿誤~~見梁書鄧元起傳~~○鄧元起克成都在天監二年，見梁書
卷		前後行			
卷		後十行	乃面縛。歸罪 北	縛 汲	修
卷	十三	前八行	羡之等遣吏。殺義眞		
卷		前後行	於徙所 汲北	使	殿是，見宋書武三王傳○見考證
卷	十四	後八行	上嘗冬月噉柑。汲	甘 北	按甘柑相通，見司馬相如上林賦
卷		後九行	今年柑。殊有佳者 汲	甘 北	
卷		後九行	還東府取柑。汲	甘 北	
卷	十五	前十行	丹楊。尹	陽 汲北	
卷		後五行	丹楊。丞	陽 汲北	
卷	十七	前五行	日中無等。	算 汲北	修筭
卷		前七行	及出藩。汲	蕃 北	殿誤
卷		前八行	驕侈。矜尚 汲	奢 北	殿誤，見宋書武三王傳義恭
卷		後十行	有罪出藩。汲	蕃 北	殿誤
卷		後十行	楊。南徐兖三州 汲	揚 北	
卷	十八	前八行	備加誡勒 汲	勑	殿誤，見宋書武三王傳義恭○北勑

卷	葉	行	元本	殿本	備註
傳卷三	十六	後六行	求常所遣傳詔	傳 汲北	修
卷	十九	前六行	孝武以義宣乱逆由		
卷		行	是彊盛欲削王五		
卷		行	侯 汲注一作同	於　王 汲北	修王○汲於注一作是
卷		後二行	平乗但馬不得過二		
卷		行	匹 汲北	誕	按但誕通，見程氏演繁露
卷		後四行	罷宮則不復追敬 汲注一作同	官 汲北 汲官注一作宮	殿是，宋書
卷	二十	前二行	解揚州以避之	揚 汲北	
卷	廿一	前六行	生而舌〱澀於言論 汲北	有短字 宋書	
卷		後七行	潔已節用 汲	絜 北	
卷	廿二	前七行	元凶殺立	弒 汲北	按弒殺通，見前漢書高帝紀
卷		後六行	嘗〱孝〱武〱	有獻字 有酒字 汲北 宋書	
卷	廿三	前五行	亦勤兵向彭城	勒 汲北	修
卷		前八行	大傳江夏王	太 汲北	修
卷	廿五	後十行	隊主續豊	豐 汲北	下亦作豐○修
卷	廿六	前二行	帶苦而耕	苫 汲北	修

卷	葉	行	元本	殿本	備註
傳卷四	一	前後九行	東海王禕。汲	禕北	按東海禕始封王○考證云目錄及本傳但作廬陵王、按禕初封東海王、見宋書廬江王禕傳 補
		後三行	廬陵空王義真	有孝獻二字 汲北	
		後九行	初命之曰劭。在文爲		
			召刀 汲北	劭	召刀當作劭刀
		後九行	後。惡焉改刀爲力 汲北	患	殿誤
		後十行	門。度	制 宋書 汲北	
	二	後四行	歌儛呪。詛 汲北	兒	殿誤
	五	前二行	超之行殺。	弑 汲北	
		前九行	徐湛之。殺逆	弑 汲北	
		後二行	弑々以不文 汲北	有辭字	見考證、監本脫辭字
		後五行	及劭殺。逆	弑 汲北	
	六	前二行	傳。訪公卿	博 汲北	修
		前六行	長沙王瑾弟楷。	楷 汲北	修
		前六行	臨川王爗。宋書 汲北	曄	殿誤、見宋書二凶傳○未批修、修燁
	七	前二行	中。郎。二。十。年。業。不。以。		

卷	葉	行	元本	殿本	備註
傳卷四	七	前後二行	能建如此大事 汲	作南中郎二十年	八葉前二行有南中郎。
				少業 北	
		前五行	劭。曰	劭 汲北	已改名應从力〇修
		前七行	曰日自出行軍	日 汲北	修
		前十行	褚。湛之 汲	褚 北	
		後九行	劭使詹。叔兒燒輦 汲北	仝上	考證云四葉後二行有陳叔兒，二者疑有一誤，按宋書二凶傳有陳叔兒詹叔兒二人，此處亦作詹，考證失據
		後九行	惶。窘不知所爲 汲北	皇	
	九	前九行	劭入殺之曰	弑 汲北 宋書	
		後十行	質因辨。其逆狀 汲	辯 北	殿誤，見宋書二凶傳，按辨訓判，見說文
	十	前七行	一至於。此 汲北	如	殿誤，見宋書二凶傳
		後一行	丹楊。尹	陽 汲北	
		後六行	楊。灰于江	揚 汲北	修
		後八行	丹楊。尹	陽 汲北	

卷	葉	行	元本	殿本	備註
傳卷四	十一	前八行	魏人以蝦蟇車填壍		石殿本肉，似内修版加人○内薄攻營見朱超石傳、宋書亦作肉○宋書因、按宋書南平穆王鑠傳作因
		後八行	内。薄攻城 汲北	肉 宋書	
		前九行	遂登尸。以陵城 汲北	屍	
		後一行	元凶殺。立	弑 汲北	
	十二	前十行	改封隨。郡王 汲北	仝上	考證監本隋、今不作隋
		後二行	命諸藩。並出師 汲	蕃 北 宋書	殿誤○藩蕃通、見韻會
		後三行	揚。州浙江 汲	揚 北	
		後九行	揚。州刺史	揚	
	十三	後二行	又訴稱息道就。伏		
			事誕 汲	龍 宋書 北挖補	
		後四行	捕殺道就。	龍	
	十四	前十行	天狗所〻下有伏尸。流		
			血 汲	有隧字 北 屙 北尸 宋書	
		後一行	開南門者〻其主王。誕		

卷	葉	行	元本	殿本	備註
傳卷四	十四	前/後一行	乃開焉 汲北	有不利二字無 王字 宋書	見考證、按宋書作不利其主至考證仍疏〇考證監本其主、王從宋書改
	十五	前五行	䏚眊。汲北	眊 宋書	殿是〇宋批修、修
		前七行	有人于。輿	干 宋書 北	原文是十〇汲於〇宋批修、修
		前八行	誕使執之。汲北	板損脫	
		後一行	誕以其言狂勃。	悖 汲北	
		後三行	亘屬。城内 北		考證屬一本作入〇汲入
	十六	前一行	元嘉二十一年年十 空格	一 宋書 汲北	補
		前三行	元凶殺。立	弑 汲北	
		前四行	自披。莫由	拔 汲注一作披 北	作披陳解
		前九行	自爲墓誌銘并誄。	誄。汲北	修〇宋書作序
		後九行	及從季符。	乃 汲北	修
	十七	前八行	事剋。北	仝上	汲尅〇疑當作克〇剋勝也，見説文〇克剋通
	十八	前二行	禕。字休秀 汲	禕 北	殿誤，見宋書文五王傳
			廬陵王		按陵當作江，見宋書紀八泰始四年

卷	葉	行	元本	殿本	備註
傳卷四	十六	前三行 後	踐祚 汲北	祚	
		後五行	褊急	褊 汲北	
	十九	前三行	斷句 汲北		考證監本誤繼○今不改
		前十行	改射氏爲謝氏 汲北	謝射 宋書	見考證監本互誤○王氏商確謂當如殿本○攈詔曰「晉熙國太妃謝氏」又曰「可遠其本家」此云先是改射氏爲謝氏，前後相比，疑妃本姓射。
		後一行	射氏 汲北	謝 宋書	
		後五行	元凶殺立	弒 汲北	
	二十	前二行	封武昌縣侯 汲	義 北	殿誤，見宋書武昌王渾傳
		後七行	即日屠腊	猪 汲	北空格
		後八行	殺腊取肝肺	猪 汲北	
		後十行	被殺於華林園	弑 汲北	
	廿一	前七行	與蘇侯神 汲北	仝上	宋書亦仝、七葉後二行有蔣侯神像
	廿二	後一行	不得自專 汲	未 宋書 北	
		後八行	〻方便除之 汲北	有欲字 宋書	見考證，監本脫欲字
	廿三	後一行	撫其諸子	撫 汲北	修

卷葉	行	元本	殿本	備註
傳卷四　廿四	前後八行	以狼。戾致禍 北	狼 汲	殿是，見國策
廿六	後一行	陳郡謝沈。汲北	沉	殿誤，見宋書巴陵哀王休若傳
廿七	前十行	史昭華。宋書北	考證一本作容 汲	
	後一行	與皇子子〻深同生 汲	誤再疊子字 北	見宋書孝武十四王傳
	後五行	次皇子子泥。汲	況 宋書北	殿是
廿八	前五行	孝建三。年年六歲封西陽王 汲	二 北	殿誤，見宋書紀六
	前八行	東上。大旱	土 汲北	修
	後五行	楚王。淫亂	玉 宋書 汲北	修
	後五行	楚王。廢帝姊山陰公主也	王 汲北	修
廿九	前二行	使八坐。奏子勛與邁通謀 汲北	座	通用
	後十行	莫不入子。鸞府國 汲	于 北	子鸞名，于誤○殿誤見宋書始平孝王子鸞傳，考證一本子
三十	前五行	子仁字孝穌。汲北	龢	宋書和○見考證，監本訛穌

卷	葉	行	元本	殿本	備註
傳卷四	三十	前後十行	武陵王贊 汲		考證、監本此改共四十八字、複見邵陵王傳後、北全○今不複見
	卅一	後八行	論曰○ 汲北	云	殿誤
		後九行	因心之重○	童 汲北	修
傳卷五	一	前六行	見一○白龍 汲	二 宋書北	殿是
		前七行	挾船○ 汲	夾 北	
		後三行	遂動見詔○詢	諮 汲北	修
	二	前五行	一失於權○	權柄 梁書汲北	
		後六行	其勢亦美○ 汲	偉 北	按宋書劉穆之傳作其名亦美
		後十行	還中軍太尉○ 汲	護軍 北	殿誤、見宋書劉穆之傳
	三	前一行	丹楊尹○	陽 汲北	
		後七行	嘗曰帝曰	白 汲北	修
	四	前三行	帝又表く天子曰 汲	衍奏字 北	見宋書劉穆之傳無奏字
		後一行	義熙、字不全 創	草 汲北	補
	五	前四行	帝後復田○	曰 汲北	修
		前十行	爲丹楊尹○	陽 汲北	

卷	葉	行	元本	殿本	備註
傳卷五	六	前後三行	乃折節事邁く以瑀	疊邁字 宋書	
			與之歘 汲北		
	七	前六行	作謝宣明面見。	目 汲北	修
		前七行	向使齋師。以長刀	帥 汲北	修
		前十行	丹楊。	陽 汲北	
	八	後八行	元凶。弑逆	弑 汲北	
	九	前四行	丹楊。	陽 汲北	
		後七行	羨之爲桓循。撫軍中		
			兵參軍 汲	修 北	宋書脩，汲注一作脩
	十	前二行	丹楊。	陽 汲北	
	十一	後八行	丹楊	陽 汲北	
	十二	前二行	巳。等三人同受顧命 汲北	巳	全誤，當作己，按己傳亮自謂三人，指謝晦檀道濟及亮。
		前六行	反。討司馬休之	及 汲北	修
		後九行	與劉湛之。汲北	無之字	殿是，見宋書徐湛之傳
	十三	後一行	丹楊。	陽 汲北	

卷葉行		元本	殿本	備註
傳卷五				
十三	前後二行	二十二年。范曄等謀反 汲	三 北	殿誤，見宋書徐湛之傳 見宋書紀五
十四	後二行	丹楊。尹	陽 汲北	修
十五	前七行	旦。其夕	且 汲北	
十六	前十行	爲丹楊。尹	陽 汲北	
十七	前八行	丹楊。尹	陽 汲北	
十九	前五行	桓玄纂。	篡 汲北	修
二十	前二行	加。大光祿大夫	左 汲北 宋書	修
	後八行	趙打。殺息 汲	持 北	殿誤，見宋書傳隆傳
	後九行	依法徙。趙二千里外	徙 汲北 宋書	修
廿一	前四行	徙之一。千里外	二 汲北 宋書	殿是
	前六行	此又大通情之。體 汲	無之字 北 宋書	
	後九行	丹楊。尹	陽 汲北	
廿四	後一行	肯。不殊絶	皆 汲北	修
廿五	前二行	自晉網不網。	綱 汲北	修
	前八行	使桐宮有卒迫。之痛 北汲	追	殿誤，見宋書傳三史臣論

卷	葉	行	元本	殿本	備註
傳卷六	一	前八行 後	此非常鬼○	兒 宋書 汲北	修
		後四行	旦謂諸佐○曰 汲 宋書	將 北	殿誤、見宋書王鎮惡傳
		後十行	蒯恩軍○在前鎮惡次之 汲北	在軍	上文蒯恩百舸前發○下句鎮惡次之、殿誤、見宋書王鎮惡傳
	二	前二行	津○戍及百姓 汲	潬 北	上句令燒江津船○殿誤見宋書王鎮惡傳
		後三行	く手中破折 汲北	有於字	見考證、宋書有於字
		後九行	方軌○經據潼關 汲	軌 北	殿是、見史記
	五	前四行	乞○於軍後 汲	在 宋書 北	
	六	前四行	封豐○城侯	豐 汲北	修
		後七行	三萬騎内薄攻営 汲北	肉 宋書	見考證、監本訛內
		後十行	剋蒲坂○ 汲	考證監本訛坡 北	今作坂
	七	後九行	魏○太武帝信敬 汲	大 北	殿誤
	八	前七行	并不以在南禮制	教 宋書 汲北	殿是○以字作用字解、似可通
	九	前一行	梁州○刺史歆○ 汲北		考證 宋書詔
	十	前四行	有鳥○飛○	飛鳥 宋書 汲北	

卷	葉	行	元本	殿本	備註
傳卷六	十	前後七行	舉兵雍上。	土 汲北	修
		後二行	與佐史。賭之 汲北		考證宋書史
	十一	前八行	每陳北侵之規。汲	謀 北	按宋書王玄謨傳作策
		後三行	鼓鞞。動天地 汲 宋書	鼙 北	按鞞鼙通用
		後八行	及大。武軍至	太 汲北	修
	十二	前五行	聞因敗爲成。汲北	城	殿誤，見宋書王玄謨傳
		前六行	元凶殺。立	弒 汲北	
	十三	後一行	白醝。解冬寒、汲	醝 北	殿誤，按白醝酒見周禮天官酒正鄭白釋文
		後五行	二州刺史。汲北	州	殿誤，見宋書王玄謨傳
	十四	前二行	以爲左。光祿大夫 汲 宋書	脫左字 北	
	十五	前一行	便。命發之 汲北	使	殿誤
		前七行	封。鄂縣子 汲北	對	殿誤
		後一行	乃北勸。魏遣書結玄		勸字義可通○見考證監本訛勸
			邈。汲北	通	修
		後五行	井。求玄邈表	并 汲北	
	十六	後二行	兵屈霸。上 汲	灞 北	宋書傳八史臣論作兵屈西湖○按灞本作霸

卷	葉	行	元本	殿本	備註
傳卷六	十六	前後三行			見史記項羽紀
	十七	前一行	爲不宰。矣	幸 宋書 汲北	修
		前二行	苟城。節在焉	誠 汲北	城存與存蘇武持節，城與節分講可通○殿是
		前二行	取榮火。國	大 汲北	修
		前六行	傲佷。不悔 汲	佷 北	殿誤
傳卷七	二	前五行	然後乘玄之隙。	隙 汲北	殿誤，見宋書劉敬宣傳
		後五行	劉軌。大被任 汲	軌 北	殿誤見宋書劉敬宣傳
	三	前四行	忘。國家之重計 汲	亡 北	
		後四行	毅雖止獨。謂武帝曰	猶 宋書 汲北	猶順去較順口○修
	四	後三行	桓石綏。司馬國播 注汲 一作緩	考證監本訛緩 北	今不訛
	五	前四行	爲錢唐。令 汲	塘 北	殿誤，按宋書州郡志作唐
		前七行	氏帥楊。難當 汲	楊 北	修
		前十行	太。致剋捷	大 汲北	修
		後三行	破仇。池	仇 汲北	八葉前一行仇池○修

卷	葉	行	元本	殿本	備註
傳卷七	五	前後八行	坐府內相殺免官。汲北	宮	殿誤
	七	前一行	追論半。城功 汲	平 北	北史長孫嵩傳作畔城六葉後九行、十四葉均有半城○殿誤，見宋書劉懷慎傳
		前二行	性褊。	褊 汲北	修
		前三行	少工力。楯	刀 汲北	修
	八	前六行	抱。罕人也	枹	修○考證監本訛抱
		前九行	爲鎮。北將軍 宋書	征 汲北	殿誤，見宋書劉粹傳
		後八行	文帝遣寧朔將軍蕭江。之	汪 汲北 宋書	修
	九	前二行	未嘗敢以羽。儀入鎮之門 汲	華 北	殿誤，見宋書劉粹傳
		後一行	破其窟穴。	穴 汲北	修穴
		後八行	自征祆。賊 汲	妖 北	
	十	前八行	靖。與武帝有舊	彌 汲	上句以小字行此當作彌、後二行彌○按靖小字彌見上文○可通○北挖補
		後三行	子禎。嗣	植 宋書 汲北	下句奪爵更以植次弟楨紹封，此當作植○修

卷	葉	行	元本	殿本	備註
傳卷七	十	前後三行	次弟禎○	楨 汲北	四行楨○兄植弟柳，此字當從木○擬不修○殿是見五行
	十一	前三行	帝板○鍾爲郡主薄 汲	拔 北	殿誤，見宋書劉鍾傳○
		後九行	虞丘進字豫○之 汲北	緣	殿誤，見宋書傳九
		後九行	少時隨謝玄謝○玄○討苻堅 汲北	不疊謝玄二字 宋書	字見考證監本衍謝玄二字
	十二	後五行	乃參、鄒恢○征虜軍事 北	忄友	汲恢○殿誤，見宋書胡藩傳○宋書恢，宋书卷五十，晉書鄒湛傳，鄒恢進征虜將軍，疑是恢
		後六行	羅仚○山生 宋書	企 汲北	修○八行九行均作企，晉書傳四十九企
		後六行	省仚○山生 宋書	企 汲北	修
	十三	前三行	奔散相○失	相 汲北	修
		後七行	一詠一點○	談 汲北	
	十四	後六行	宗之子軌○	軌 北	殿誤，見宋書魯爽傳○汲訛執
	十五	前四行	南平王鑠○ 汲北	考證監本訛鑠	今不訛

卷	葉	行	元本	殿本	備註
傳卷七	十五	前後八行	沈慶之等。入河 汲北	八	殿誤，見宋書劉庚祖傳
		後三行	死者太半	大 汲北	殿誤
	十七	前十行	旱裂。對壤	封 汲北	修
		前十行	受委疆場。汲北	場	殿誤
傳卷八	一	前四行	逵 惠開從孫琛。汲北	子	殿是
		後二行	入。爲護軍 汲北	八	殿誤
	二	前一行	丹楊尹	陽 汲北	
		前一行	在郡。嚴酷 汲	都 北	殿誤
		前三行	被戮。透水而死 汲	録 宋書 投 北	殿誤，按透訓跳，見說文
		前七行	十許。歲時 汲	歲許 北	殿誤，見宋書蕭思話傳
		後五行	在任。夫和	失 汲北	修
	三	前十行	元凶。殺立	弒 汲北	
	四	後二行	著貪暴之聲。汲	名 北	殿誤，見宋書蕭惠開傳
		後四行	但一往。眼頷。已自殊有所震 汲北	仝上	按宋書作眼領，考證殊未詳盡
	六	前一行	遣人訪訊。	訊 汲北	

卷	葉	行	元本	殿本	備註
傳卷八	六	前四行 後四行	丹楊○尹	陽 汲北	
	七	後四行	吴郡褚○思莊	褚 汲北	
		後九行	人不能對○ 汲	及 北	
	八	前一行	惠碁○常謂所親	基 汲北	殿誤，見南齊書蕭惠基傳 修
		前三行	子治字宏稱 不提行	提行 汲北	
		前四行	職吏○數千人 汲	更 北	殿誤
		後七行	揚○州刺史	揚 汲北	
	十一	前一行	亦但安〻耳	有坐字 汲陳書	北缺補
		前二行	平○番禺 北	番 汲	殿是，見說文
		前八行	廣州刺史焉○靖	馬 汲北陳書	修
		後五行	自有本末○	末 汲北	修
	十二	前四行	宴于樂游〻 汲北	有苑字	傳十二，七葉前七行亦有樂游並無苑字○○見考證，宋書有苑字○按王儉傳有帝幸樂游宴集句
		前五行	丹楊○尹	陽 汲北	
	十三	前七行	遂於郡聽○事 汲	廳 北	按廳古作聽見集韻

卷	葉	行	元本	殿本	備註
傳卷八	十三	前後八行	皆於聽。拜祠 汲	廳 北	
		前九行	著。履 北汲	者	殿誤
		前九行	登聽。事 汲	廳 北	
		後五行	上以束投琛、琛仍。取		
			粟擲上 汲	乃 北	殿誤
		前十行	死據此聽。事 汲	廳 北	
	十四	後七行	配孝、武。廟 汲北	武帝	殿誤、漢武帝廟號孝武修
	十七	前六行	宜同虞主之瘞。理	埋 汲北	
		後三行	凝之便。于其語次 汲北	于	越位而與之言○殿誤見陳書臧燾傳修
	十八	後一行	學徒常有數千百人。	十 汲北 梁書	
		後二行	每趨。奏	趣 汲 北挍補	見考證一本趨
	十九	前七行	敕。並付厥 梁書 汲	悉以 北	敕並義勝○殿誤、見梁書臧盾傳修
		後七行	統太。象伐蜀、	大 汲北	
	二十	前二行	額項。拳髮 汲	頂 宋書 北	殿是
		前九行	在鎮奢費。 汲	凌 北	殿誤、見宋書臧質傳
		後二行	戍。主陳憲 宋書 汲	城 北	殿誤、見宋書臧質傳

卷葉行	元本	殿本	備註
傳卷八 二十 前後四行	後太武率大象數十萬向○彭城 汲	劫 北	殿誤，見宋書臧質傳
後五行	始至盱台○	眙 汲北	
後六行	悉力攻盱台○	眙 汲北	
後七行	佛○狸死夘年 汲	狒 北	殿誤，見宋書臧質傳
後十行	爾田我而死○	由 宋書 汲北	修
廿一 前一行	賀○送都市	直 宋書北	汲負注一作直
前二行	項○年展爾	頃 宋書 汲北	修
前四行	廣欲度江○ 汲	渡 宋書北	
前九行	乃自○薄登城 汲北	肉 宋書	殿是
後四行	元凶殺○立	弑 汲北	
後四行	丹楊○尹	陽 汲北	
後十行	大○極殿庭	太 汲北	修
廿三 前十行	不可持久○質無復異同	有質女爲義宣子採妻謂九字 汲北	查義宣傳諸子無名採者
後七行	屯梁山洲内○岸	兩 汲北	宋書洲内兩岸○修

卷	葉	行	元本	殿本	備註
傳卷九	一	前三行後	〻孫眺 汲北	有述字	殿是
	二	後二行	與徐羨之傳。亮檀道		
			濟 汲北	傳	殿誤
	三	前六行	豈有上。理 汲	上 北	殿誤，見宋書謝晦傳
		後四行	土。人多勸發兵 汲北	土 宋書	
		後八行	曀子。世平 汲北	世子	殿誤，見宋書謝晦傳
	四	前一行	豈得泝流二。千。	數十 北	汲作三千○當作三千，見宋書謝晦傳．按文帝自江陵入奉皇統，江陵去京都水三千三百八十，見宋書州郡志三．
	六	後三行	〻弟曀字宣鏡 汲	有瞻字 北	
	八	後五行	即聽自。澣濯	一日 汲北	未批修，修
	九	後二行	卒於北中〻豫章王		
			長史 汲	有郎字 北	殿是，見宋書豫章王子尚傳
	十一	後九行	清切蕃。房 汲	藩 北	按南齊謝眺傳作蕃藩通用
	十四	後五行	丹楊。尹	陽 汲北	
		後十行	丹楊。尹	陽 汲北	

卷	葉	行	元本	殿本	備註
傳卷九	十五	前後一行	唯琨。方明郗僧施蔡		
			廓四人而已 汲	混 北	殿是，見宋書謝方明傳
		前二行	及琨。等誅後 汲	混 北	
		後五行	丹楊。尹	陽 汲北	
	十六	後二行	甚。文其。美	其 甚 汲北	均脩
		後九行	從叔〻琨。汲	衍祖字 混 北	按晉書謝安傳，安孫混，安兄奕曾孫靈運。
	十九	前八行	未。知靈運乃安 汲北	末	殿誤
		後四行	求泆。以爲田 汲	決 北	
		後七行	政慿泆。湖多害生命 汲	決 北	
	廿一	後五行	侍中謝胐。	朏 汲北	按朏古文作胐
	廿三	前四行	爲大尉。晉安王 汲	太 北	殿是
		前四行	爲〻書侍御史	有治字	按治字沿唐諱省
		後二行	淮淝。之役	肥	殿誤
傳卷十	一	後十行	阿客博而無撿。	檢 汲北	
	二	前十行	多其小子。汲	字 北	殿是
	四	前四行	素好樗蒲。	捕	按捕蒲通，見馬融樗蒲賦

卷	葉	行	元本	殿本	備註
傳卷十	四	前後一行	牽疾臨卦。	赴	未批修，修
		後一行	文帝歡。惜	歎	未批修，修
		後八行	有二廚。書	封 汲北	殿誤，按廚櫝也，見晉書顧愷之傳
		後十行	弘微與琅邪王慧。王球 汲北	惠	殿是，宋書傳十八
	五	後十行	王慧。何如 汲北	惠	
		後五行	及帝踐。祚 汲北	阼	
	六	前八行	非待照車之。珍 北	特 汲	未批修，修
		後四行	寔。遇與不遇用與不用耳 汲北	實	
	七	前一行	而疇以田菜。汲	采 北	菜同采，可以不改○汲菜注一作采○按菜采通，見漢孔耽碑
		前一行	而坐之馳。爵 汲	褫 北	汲注一作弛
		前八行	退得人。不勤勞。汲	民 擾 宋書 北	
		前九行	薪槱。之歌克昌 宋書	樵 北汲	修○可不修○按詩大雅注樵亦作槱，二字通，見類編○已修，誤修
		後五行	朝脩。諸王 汲北	謁 宋書	見考證，按脩疑參之訛

卷	葉	行	元本	閣殿本	備註
傳卷十	七	前後六行	唯在小閤。		
	八	前二行	又別詔太宰江夏王。		
			義恭。汲北	大	殿誤
		後九行	傳詔傳。待 汲	立 北	汲注一作立
	九	前九行	雖小童。也 汲	奇童 北梁書	
		後五行	獨與朏。論魏晉故事	朏 汲北	
		後六行	昔魏臣有勸魏武即。		
			帝。位 汲北	帝即	殿誤、見梁書謝朏傳
		後九行	以朏。爲侍中	朏 汲北	
		後十行	朏。當日在直	朏 汲北	
		後十行	朏。佯不知	朏 汲北	
	十	前一行	朏。曰	朏 汲北	
		前二行	朏。曰	朏 汲北	
		前四行	請誅朏。	朏 汲北	
		前八行	朏。內圖止足	朏 汲北	
		前九行	朏。至郡	朏 汲北	

卷	葉	行	元本	殿本	備註
傳卷十	十	前九行後	還書曰 梁書	遺 宋書 汲北	修○按梁書作還○已修誤修
		前十行	蚏○居郡	朏 汲北	
		後五行	徽蚏○儭並補軍諮祭洒	朏 汲北	
		後五行	詔徽蚏○爲侍中	朏 汲北	
		後七行	敦譬蚏○蚏○謀於何儭	朏朏 汲北	
		後九行	蚏○輕出	朏 汲北	
		後十行	蚏○辭脚疾	朏 汲北	
	十一	前一行	幸蚏○宅	朏 汲北	
		前二行	蚏○固陳本志	朏 汲北	
		前五行	詔蚏○	朏 汲北	
		前五行	蚏○素憚煩	朏 汲北	
		前九行	蚏○爲吳興	朏 汲北	
		後八行	蚏○弟也	朏 汲北	
	十二	後六行	難爲詶○對 北	訓	汲作酬○殿誤
		後七行	濤輒代蚏○爲啓上	朏 汲北	

卷	葉	行	元本	殿本	備註
傳卷十一	十二	前後七行	知非朏。手迹	朏 汲北	
		後八行	朏。爲吳興	朏 汲北	
		後九行	朏。指灕口	朏 汲北	
	十三	前八行	與侍中王暕。爲詩		
			答贈 汲北	暕	殿是、見梁書傳十五
		後九行	服闋。爲太常博士 汲	闋 北	
		後十行	俱預先。會	元 汲北	修
傳卷十一	一	前三行	錫子。僧達 汲北	弟	殿誤○按殿是、南齊王僧虔傳「弘子僧達」、宋書王弘傳「弘少子僧達」別有傳」、宋書王僧達傳「太保弘少子」
		前三行	弘弟子微	四字均旁注	殿是
		前三行	<兄遠 汲北	有微字	殿是
		前四行	弘從孫瞻	四字均旁注	殿是
		前四行	弘玄孫冲	四字均旁注	殿是
	三	後六行	少嘗擩蒲。公城子野		
			舍 汲	捕 北	按捕蒲通

卷	葉	行	元本	殿本	備註
傳卷十一	三	前後七行	此人嘗以蒲。戲得		
			罪 汲	蒱 北	
	四	後九行	或五日三日 空格 歸	方 汲北	補
		後十行	僧達 空格 曰	且 汲北	補
	五	後五行	寄宣城左永籍。之。		
			注以爲子 汲北	之籍	見考證、宋書王僧達傳
	八	前七行	入於湯。谷	暘 汲北	按湯暘同、見淮南子天文訓
	九	後五行	不容く無主く自上甘		
			露頌 汲	有都字 有此字 北 南齊書	殿誤
	九	後七行	夙宵兢惕。汲	惕 北	補
	十	前五行	時人 空格 準瞻破	以人 汲北	補
		前七行	空格 字景玄	微	補
		前七行	工書。空格 解音律	書兼 汲北	補
	十一	後七行	稍遷晉安王文學		
			而陳郡袁。利爲友		
			時。人以爲妙選	哀詩	殿誤○文學友皆王府官袁利人名

卷	葉	行	元本	殿本	備註
傳卷十一	十二	前五 後 行	又爲錢唐○縣 汲	塘 北	按宋書州郡志一作唐
卷	十三	前五 後 行	所舉其意○多○行○ 汲北	多行其意 梁書傳十三	
卷		前四 後 行	丹楊○尹	陽 汲北	
卷		前七 後 行	領丹楊○尹	陽 汲北	
卷	十四	前一 後 行	瑒字子瑛○ 誤蒐		修正
傳卷十二	一	前二 後 行	一豪○不受於人	毫 汲北	
卷	二	前二 後 行	奏免御史中丞傳○		
卷		前 後 行	隆 空格 下	全誤 當作傳 旨 北	汲傳作傳○殿本旨誤，當作以，並見宋書王曇首傳○宋書六十三奏免御史中丞傳隆以下，旨誤，見傳隆爲御史中丞，見傳亮傳，傳擬修傳，殘字當作以○皆未修
卷		前 後 行			
卷		前 後 行			
卷		前 後 行			
卷		前六 後 行	周赳侍 空格 曰	側 汲北	宋書作周起○修
卷	三	前十 後 行	會巫蠱○事洩 汲北	蠱	殿誤
卷		前八 後 行	不能裁兒○ 汲	北	考證監本訛兒，今不訛
卷	四	前三 後 行	謚曰愍○侯 北	愍 汲	按愍唐諱改，愍省文，見後漢蓋寬饒傳。
卷		前六 後 行	及給臧燾○ 汲	壽	殿誤，見宋書傳十五

卷葉	行	元本	殿本	備註
傳卷十二 四	前八行	數。歲襲爵豫寧		
卷	後前行	縣侯 汲	四 北	殿誤，見南齊王儉傳，按豫寧南齊王儉傳作豫章，宋書王曇首傳作豫寧，查宋豫寧入南齊改爲豫章，並屬江州，見宋書及南齊州郡志○按數歲謂僧綽遇害後所歷月日，非王儉年歲，儉以永明七年薨，三十八，則儉之生當在元嘉二十九年，僧綽遇害在太初三年，即元嘉三十年，時儉僅二歲
卷	後前行			
卷	後前行			
卷	後前行			
卷	後前行			
卷	後前行			
卷	後前行			
卷	後四行	同泰。初巫蠱事 汲北	太	殿是，見宋書二凶傳
卷	後十行	爲長く兼侍中	衍史字 汲北	見南齊王儉傳○十三葉前三行又見，錢氏考異謂史乃後人誤加
卷	後前行			
卷五	前一行	謝朏。爲長史	朏 汲北	
卷	前二行	朏。無言 二見	朏 汲北	
卷	前三行	朏。難之	朏 汲北	
卷	前三行	朏。又無言	朏 汲北	
卷	前八行	公若小復椎。遷	推 汲北	修

卷	葉	行	元本	殿本	備註
傳卷十二	六	前七行	禮冠列蕃。汲	藩北	按蕃藩通用
卷	七	後四行	脫朝服祖。	祖汲北	修
卷		後六行	時以爲殘荅	名汲北	修
卷		後十行	齋。衰三月	齊汲北	修〇應是齊衰
卷	八	後五行	領丹楊。尹	陽汲北	
卷	九	前一行	於儉宅開空格士館	學汲北	補
卷		前二行	天下空格以文采相尚悉	悉汲北	
卷		前六行	晉宋。來施行故事汲	末北	
卷		後六行	年四十八汲北	三齊書	殿是，見考證，監本訛四〇查二凶傳元嘉三十年改太初元年，是年僧綽遇害，自元嘉二十九年至永明七年恰三十八年〇王氏商確，謂是卅八修
卷		行			
卷		行			
卷		後十行	伊呂翼商周。	商汲北	
卷	十	前二行	爲丹楊。丞	陽汲北	
卷		前八行	敕歲中不過一再。	稱	殿誤
卷		行	見汲北		
卷	十一	前一行	才望不及弟暕。汲北	暕	六行叔父暕〇修暕〇殿誤見梁書傳十五

卷葉	行	元本	殿本	備註
傳卷十二 十一	前六行	叔父暕。	暕 汲北	殿誤
卷	後二行	丹陽。尹	陽 汲北	
卷 十二	前二行	主書芮珎。宗	珍 汲北	珎俗珍字
卷	後三行	珎。宗假還	珍 汲北	
卷	前三行	暕。字思晦	暕 汲北	殿誤
卷	後四行	見暕。	暕 汲北	殿誤
卷	後五行	詔求異士。汲	選 北	殿誤，見梁書王暕傳
卷	前六行	始安王遥光薦暕。	暕	殿誤
卷	前九行	子承幼。訓並通顯 汲	脱幼字 北	小東陽即承弟幼，見下文承傳〇梁書幼作穉
卷 十三	後二行	還長〻兼侍中	衍史字	
卷	前二行	祖儉父暕。	暕	殿誤
卷	前七行	即承弟幼。也	穉	按梁書王暕傳作穉唐諱稚改幼
卷	後二行	暕。亡	暕	殿誤
卷 十四	前七行	常用掘。筆書 汲	拙 北	殿誤，見南齊書王僧虔傳，按掘古拙字，見史記貨殖傳
卷	前一行			
卷 十五	後七行	題尚書省壁 殘	曰 汲北	補

卷	葉	行	元本	殿本	備註
傳卷十二	十五	後二行	丹楊。尹	陽 汲北	
卷	十七	前一行	畜棺以爲壽		後人壽材冲書放此
卷	十九	前九行	衆僧。今日可謂虔		
卷		行	虔 汲	北	考證監本訛生〇今不訛
卷		後四行	行除。州府州事	徐 汲北	修
卷	二十	前二行	書。圖散亂	圖書 汲北	
卷		前四行	輻。湊 汲	湊 北	殿誤，見班固東都賦
卷		前八行	以泰爲廷尉卿殘歷		
卷		行	侍中	再 汲北	修再
卷		後六行	遂成閑。田 北	閒 汲	殿是，見史記
卷	廿一	前二行	授。服之 汲	授 北	汲注一作授
卷		前四行	爲丹揚。尹	陽 汲北	
卷		前九行	九年還。以爲散騎		
卷		行	常侍 汲	遷 北	殿誤，授志三年嘗爲是職
卷	廿三	前十行	冰。懸搖而帶坻	冰	修〇汲氷北冰
卷		後一行	眞奇。殆絶 汲	賞 北	

南史　校勘記　傳十二　七六頁

卷	葉	行	元本	殿本	備註
傳卷十二	廿三	前九行	人棄尸。積於空井		
卷		行	中 汲	屙 北	
卷		後五行	凡三過。五抄 汲北	週	殿誤、見梁書王筠傳 按梁書五訛立
卷	廿四	前一行	自開闢。以來	闢 汲北	修
卷		後三行	汝膏粱。年少 汲北	仝元本	粱梁通
傳卷十三	二	後十行	閭閻有 空四格	有對本陽天四字 汲北	補
卷	三	前三行	雖門忝。宗榮 汲	泰 北	
卷		前九行	行。來出入 汲北	往	
卷	五	前一行	子瑩。	瑩 汲北	未批修，修
卷		前二行	瑩。字奉光	瑩 汲北	未批修，修
卷	六	前五行	須開黃閤。	閣	殿誤
卷		前六行	乃田閤。向東	閣	殿誤
卷		後四行	王性劣。嚴 汲	方 北	修
卷	八	前一行	亮無病。色 汲	疾 北	殿誤
卷		前三行	司徒謝朏本。有。虛		
卷		行	名 汲	徒負 北	

卷	葉	行	元本	殿本	備註
傳卷十三	八	後五行	洋。邏咸疑焉	津 汲北	修
卷	十一	後一行	出爲會稽太守 空格		
卷		前後行	都督	加 汲北	補
卷		後二行	順 空格 遜位	帝 汲北	補
卷		後三行	老 空格 以壽爲戚	臣 汲北	補
卷		後四行	百 空格 人人雨淚	官 汲北	補
卷	十三	後六行	王弘 空二格 貴動朝庭	兄弟 汲北	補
卷	十四	前十行	左右扶郎還齋。汲	齋 北	
卷	十五	前二行	或。名與明帝諱同 汲	或 北	修
卷		前八行	爲一時。推謝	推 汲北	殿是，無可議
卷		後十行	以姊喪。開棺。臨赴		
卷		前後行	免官	墓不 汲北	宋書王景文傳
卷	十六	前二行	因蒲。戲得錢百二十		
卷		前後行	萬 汲	捕 北	
卷		前六行	楊。州刺史	揚	
卷		前十行	庶姓作楊。州	揚	

卷	葉	行	元本	殿本	備註
傳卷十三	十六	後二行	遠蓮先 殘	旨 北 宋書	〇旨字不全，却不似旨字〇汲諂〇未批修補，修
卷		行			諂
卷		後二行	密迹幾。内 汲	識 北	殿是
卷		後五行	揚。州	揚	
卷		後七行	揚。州	揚	
卷		後八行	揚。州	揚	
卷	十七	前三行	揚州	揚	
卷		前十行	位雖貴而く闕。朝		
卷		行	政 汲北	有不字 闕	
卷	十八	前三行	正是依俙。於理 汲	稀 北	
卷		前七行	駱宰見狂主語人		
卷		行	言。汲	云 北	
卷		前九行	今主口。頸 汲	長 北	口貼喙言〇殿誤，見宋書王景文傳
卷		後八行	扣函看。復還封 汲	着 北	扣無訓開字者，扣通叩發也
卷	十九	前五行	空格 字長素	絢 汲北	補
卷	二十	後十行	常侍、球許甚兄。愛	見	殿是

卷	葉	行	元本	殿本	備註
傳卷十三	廿一	前二行	叔父景文帝。以家		
卷		後　行	事委之	常 北汲	修
卷		前五行	直閤將軍	閣	
卷		前十行	彪堅執不同。汲	從 北	
卷	廿二	前六行	士人起義	土 汲北	殿是、南齊
卷		前四行	仕宋顯。名。	位始 汲北	均修
卷		後五行	由是始。安。	顯名 汲北	均修
卷	廿三	前一行	丹楊。尹	陽	
卷		前七行	丹楊尹	陽	
卷		前十行	十二。爲國子生 汲	三 北	殿誤、見梁書王份傳
卷	廿四	前十行	掌東。宮管記 誤修	東 汲北	修正
卷	廿六	前六行	丹。楊尹	陽	
卷		後二行	姈。媪恒往來禁中	妳 汲北	修
卷		前九後十行	卒獲攀光日月。遭。		
卷		後　行	遇。蓋〻其時焉 汲	無遭遇二字 有	
卷		後　行		亦得二字 北	

卷	葉	行	元本	殿本	備註
傳卷十四	一	前四行	王韶＜	有之字 汲北	補
卷		前五行	＜從弟逡之 汲北	有曾孫清清子猛	
卷		後行		准之八字	曽孫清傳文不提行猛提行
卷	四	後十行	卒溢簡＜ 汲	有子字 北 南齊王延之傳	
卷	六	前五行	在官清絜。	潔 汲北	
卷	七	前九行	若遣一个。 北	介	汲個〇按个介通、見尚書秦誓汲訛個
卷	八	後三行	權行臺閤。	閣 南齊書	
卷	九	後一行	徐公應爲今。	令 汲北	修
卷	十	前一行	景儁言位。見信 汲	益 北	按位疑倍之訛〇位作倍亦可
卷		前六行	乃以紙裏。桶子 北	裹 汲	修
卷		前七行	晏醉。部伍人亦飲		
卷		後行	洒 北	辭	汲醉〇修醉〇殿誤
卷		後七行	與廬江何昌寓。 汲北	寓	殿是、見南齊傳廿四
卷	十一	後九行	立身簡絜。 北	潔 汲	
卷	十三	前六行	領揚。州刺史	揚 汲北	
卷	十四	前三行	博聞名。識	多 汲北	修

卷	葉	行	元本	殿本	備註
傳卷十四	十七	前九行	詔付秘閣。	閣	
傳卷十五	一	前三行	流從兄溉〻洽 汲北	有溉弟二字	
卷		後二行	莫知津逗。 墨筆改慶	逗 汲北	修逗
卷		後十行	至姑。熟 汲北	始	殿誤
卷	二	前三行	仲德。空格 其謀	聞 汲北	補
卷	四	前五行	封很。山縣子	很 汲北	屬湖北○修
卷		前八行	垂二。十載 汲	三 北	殿誤，按彦之自晉義熙十一年佐道憐江陵，至文帝元嘉初纔十餘年。
卷		行			
卷	六	前一行	見兩二。人持壂	三 汲北	修
卷		前六行	丹楊。郡	陽	殿誤
卷		前六行	後狎晦。同列	偝 汲北	修
卷		後一行	爲左丞庚果。之所		
卷		行	紀	杲 汲北	未批修，修
卷	七	後十行	非直爲 空格 行事	汝 汲北	補
卷	八	前一行	開。方四尺 汲	間 北	殿誤
卷		前五行	溉許。之如初 汲	忤 北	殿是○按許疑忤之訛

卷	葉	行	元本	殿本	備註
傳卷十五	九	後八行	除丹楊○尹丞 汲北	脱楊字	見梁書到溉傳
卷	十二	後二行	唯矢○一駒	失	殿是、見宋書垣護之傳
卷		後三行	留戍麋○溝城	麋 汲北	修
卷	十六	前一行	安 空格 曰不知諸人		
卷		行	云何	都 汲北	補
卷	十七	前五行	又以蒲○戲取之 汲	蒱 北	
卷		前七行	北破薛道摽○ 北	標 汲	
卷	十八	前六行	楷○惆悵良久	儉 汲北	殿誤
卷	二十	前一行	父仲子 空二格 世致位		
卷		行	給事中	由興 汲北	補
卷		前六行	興世減○撤而行 汲北	咸	殿誤
卷		後四行	寻○是名素	多 汲北	修
卷		後五行	衲○衣錫杖 北	納 汲	納補綴也○按納衲通、見玉篇
卷	廿一	前八行	帝並○優詔報荅 汲北	病	殿誤
卷		前六行	後瓦○屋墜 汲北	屋瓦	
卷		前七行	傷頷○ 汲	額 北	頷額同

卷	葉	行	元本	殿本	備註
傳卷十六	一	前三行	頭。從弟粲	顗	
卷		前四行	〱憲	有樞弟二字	
卷	二	前一行	以參伐蜀 字擠	謀 汲北	補
卷		前九行	今當席卷趙魏	捲	
卷		後十行	望相與戮力。	乃	殿誤
卷	三	後一行	長給稟。	廩	按禀乃稟之訛
卷		後七行	亦厲色而 空二格 丞		
卷		前後行	除爰	出左 汲北	補
卷		後八行	才用不 空二格 論頗相		
卷		前後行	嗤毀	多言 汲北	補
卷		後九行	由是 空格 廢帝	前 汲北	補
卷		後十行	欲引進顗 空格 以朝		
卷		前後行	政	任 汲北	補
卷	四	後十行	於是擁甲以得之。汲北	待	殿是，見考證
卷	六	前六行	並摴蒱。汲	蒲 北	
卷		後十行	脩道遂 板損	忘終〱 汲北	補

卷	葉	行	元本	殿本	備註
傳卷十六	九	前九行	卜伯興爲直閤。	閣	
卷		後三行	王敬則爲直閤。	閤	殿是、具見南齊謝超宗傳
卷		後九行	覺有異人。呌抱父	大 汲北	修
卷	十	後十行	豫章王直新出閤。	閣	
卷	十一	前一行	彖字緯才。	偉	殿是、齊書〇袁彖齊書傳廿九
卷		後八行	入。以中書郎兼御		
卷		行	史中丞	又 汲北	修
卷		前九行	坐彈墨丁超宗簡奏		
卷		行	依違免官	謝 汲北	見南齊袁彖傳
卷		前九行	後拜廬陵王諮議	盧	殿誤
卷	十二	前七行	明板損釋之	日 汲北	補
卷	十三	前七行	丹楊。尹	陽 汲北	
卷	十四	前五行	不憚權家。汲	豪 北 梁書	
卷	十五	後七行	未有緩憲於斯。戮		
卷		行	之人 汲	蕲 北 梁書	修〇斯即也　尚書大木斯
卷		後八行	唯。恩及罪 汲	推 北	拔修

卷	葉	行	元本	殿本	備註
傳卷十六	十六	前後一行	<其時也 汲	有當字 北	未批補、補
		前二行	志。同海之重 汲	忘 北	修
		前六行	濯疵。蕩穢	疵 梁書 汲北	
		前七行	臣之所。死。未知何地	死所 梁書	
		後四行	始至齋閤。	閣	
		後八行	檀。聲朝野	擅 汲北	修
	十七	後七行	仙琕猶於江西口。抄。		
			軍。	日抄運漕 梁書	殿是
	十八	後一行	魏豫州人白早。生	旱 汲	殿誤，見梁書馬仙琕傳
		後二行	直閤。將軍	閣	
	二十	後四行	空格 始中	泰 汲北	補
		後五行	新安穆 空格 主	公 汲北	補
		後六行	足以校明 空格 勞	無 汲北	補
		後七行	爲吏部 空格 書	尚 汲北	補
		後七行	領丹楊。尹	陽 汲北	
	廿三	前八行	宴承香閤。	閣	

卷	葉	行	元本	殿本	備註
傳卷十六	廿二	前後一行	累表自く解任 汲北	有求字	見考證
		後九行	空格除侍中	尋 汲北	補
		後十行	表請解空格不許	職 汲北	補
傳卷十七	一	後四行	季恭求爲府司馬		
			不得出。出詣都	乃	殿是○汲作罣丁
	二	前四行	特進く光祿大夫	有左字	
		前六行	位丹楊。尹	陽	
		前十行	靈符懃實有堪。幹	材	見考證
		後六行	會赦免刑補治。	治	殿誤、按治指旨治言
		後七行	則。傷毆及詈科	用 宋書 汲北	修
	三	前二行	原死補治。有允正法	仝誤	當作治、見二葉後六行
		前六行	後兼左户尚書廷		
			尉卿。	脱卿字	
		前七行	獻乾薑二千。斤	十	殿是
		後三行	主簿。	簿 北汲	修
		後五行	以博。學稱	博 北汲	修

卷	葉	行	元本	殿本	備註
傳卷十七	四	前〔後〕六行	今且借。公	借 汲北	修
		後五行	自宋齊以來爲太。郡	大 汲北	修
	六	前六行	後主固。事之	爭 汲北	修
		後五行	以爲西閤。茶酒	閣	
		後九行	令。分以爲貨	今	殿是
	八	前九行	殘字 其凶穢	忌 汲北	修
		後九行	凡人士。喪儀	事	殿誤，見宋書孔琳之傳
	九	前四行	無所屈撓。	撓	按撓撓通，見左傳
		前五行	楊。州刺史	揚	
	十一	後二行	晉陵太守袁摽。 汲	標 北	
		後七行	諸將帥咸勸退破		
			罔。	罔 汲北	修
	十二	前八行	竄于山嵴。村 汲北	嵴	殿誤，按宋書孔覬傳作嵴山
		後一行	斬之東閤。外	閣 汲北	
		後一行	顧琛王曇生袁摽。		
			等 汲	標 北	

卷	葉	行	元本	殿本	備註
傳卷十七	十二	前後十行	至於國典朝章。舊		
			章記注 汲	議	北作儀○宋書殷景仁傳作儀
	十三	後四行	遣中書舍人周赳與。		當作輿，見宋書殷景仁傳
			載諮府	仝誤	十三至十五石印三葉
	十五	後一行	何不見倩拜而倩。見。		
			作表	見倩	殿是
		後三行	爲劭。所知遇	邵	殿誤
		後三行	劭。殺立	邵弑	殿誤邵
		後十行	深。違。變通之道 汲	達 北	脩
傳卷十八	一	前四行	從父弟炤炫	彥回從弟	
		前四行	澐。子。嵘。 嵘。子。玠。	無澐子嵘三字作	
				澐孫玠	
	三	後三行	丹楊。尹	陽 汲北	
		後三行	元凶殺。逆	弑 汲北	

卷	葉	行	元本	殿本	備註
傳卷十八	三	前後四行	出爲丹楊尹	陽 汲北	
		後七行	丹楊尹	陽 汲北	
		後九行	百姓咸負檐而立	擔 汲北	按檐擔通，見管子七法篇
		後十行	丹楊尹	陽 汲北	
	四	後一行	西上閤宿十日	閣	
		後四行	因求請閒	間 汲北	修
	九	前三行	宜增南康郡公夫人 汲北	贈	殿是，見南齊書褚淵傳
		後六行	失吾素以	心 汲北	修
	十	前一行	眉目如畫	晝	殿是
		前七行	在政絜己	潔 汲北	
	十二	前一行	召門侍臣	問 汲北	修
	十三	後四行	賜東米二百斛	粟 汲北	殿是，陳書褚玠傳
傳卷十九	三	前三行	元凶殺立	弒 汲北	
	四	前七行	常在勝 空格	明 汲北	殿誤，按空格乃朋之闕文，見宋書蔡廓傳。汲北修，誤修

卷	葉	行	元本	殿本	備註
傳卷十九	四	前十行	滎。陽王 汲北	滎	未批修，修○宋書作營，按少帝被廢封爲營陽王。
		後七行	由此。紫極殿南北馳		
			道	是 汲北	
	七	前二行	名。欲救死期夕耳	各 汲北 宋書	修
		前九行	荷卷。深重故吐眷。梯之言 汲	眷 去 北 汲注一作如上	南齊書大景令○按宋書蔡廓傳眷作眷○宋書無之字按之疑改之訛。
	八	前五行	廢帝橫屍大。醫		
			閤口 汲	太 北	按宋書作大
		後六行	固讓不。許之	而 汲北	按宋書作不
		後十行	今直使尚。書爲詔 汲	中 北	未批修，修
	十	後三行	事寡嫂。	嫂 汲北	
		後五行	奉寡嫂。王夫人	嫂 汲北	
	十一	前二行	當時孤微埋。盡	理 汲北 宋書	修
		前九行	位太。尉從事中郎	大	殿誤
	十四	前一行	頃之追。還	追 汲北	修

卷	葉	行	元本	殿本	備註
傳卷二十	一	前後五行	解腕求○殘字	存 汲北	補○尋義應是存
		後六行	清身絜○已	潔 汲北	
	二	前九行	丹楊○尹	陽 汲北	
		後三行	欲領丹楊○	陽 汲北	
	三	前四行	鑄四銖○錢	銖 汲北	修
		前九行	富人之貲○自倍 汲	資 北	
	四	後三行	與大常○顏延之	太 汲北	修
		後四行	同游大○子西池	太 汲北	修
		後六行	有人嘗求爲吏部郎 汲	常 北	殿誤
	五	前三行	元凶殺○立	弑 汲北	元本同
	六	後五行	丹楊○郡丞	陽 汲北	
	七	後四行	有下忠貞家○	家 汲北	修
	八	前三行	性通侻○	脫	北訛悦○汲悦注一作侻○汲注一作侻，按通侻，見魏志王粲傳。
	九	前一行	太○官別給 汲	大 北 南齊書	殿誤

卷葉	行	元本	殿本	備註
傳卷二十 九	前後五行	欲入東く	全元本	應有山字，見梁書何胤傳
	後六行	聞謝朏∘罷吳興郡	朏 汲北	
十	前三行	并徵謝朏∘	朏 汲北	
	前四行	恐朏不出	朏 汲北	
	後三行	居武∘丘山西寺 汲	虎 北	
十一	後六行	胤 空格 在波若寺	無空格 梁書 汲北	
	後八行	世中∘末有	未 汲北	修
十二	後七行	生性之一啓鑾∘刀 汲北	鸞	殿是，詩經通，見集韻 ○按鑾鸞
	後九行	胤注百く論十二門論		
		各∘一∘卷	有法字 梁書 汲	殿是
十四	前四行	賚∘百∘詔∘昌寓 汲	往密勅 北	見考證
	前五行	委身以上流之重∘ 汲	六尺孤 北	
	前六行	寧得從君單詔邪∘		
		即∘時∘自有啓聞 汲	行事吾 北	考證不同○汲注一作耶即時○按考證所據與此兩歧，當是別一本
	前七行	拒詔軍∘法∘行∘事耳 汲	恐非佳 北	見考證

卷	葉	行	元本	殿本	備註
傳卷二十	十四	前八行（後）	政有訟流之計耳 汲	僕 北	見考證
		後十行	衣必須絜 汲	潔 北	
	十五	前三行	丹楊尹	陽 汲北	
		前九行	通包苴餉餽	苞 汲北	按包苞通，見儀禮既夕
		後二行	容字大〻爲口 汲	有作父小三字 北	殿是○下文可證
		後七行	性與天道	通 汲北	修
		後九行	河東王譽爲將軍	領 汲北	元不誤，此蒙上文執送領軍省領軍二字○殿誤，按梁書何敬容傳作領軍將軍
	十六	前一行	御吏中丞	史 汲北	修
		前四行	謂何姓當爲其禍 汲	召 北	殿誤，見梁書何敬容傳
		後六行	亦得罪〻時	有明字 北	汲挖補○殿是，見梁書何敬容傳
	十七	前二行	惟士貞吏也	子貢 汲北	修
		前八行	淮比始更有信	北 汲北	修
傳卷廿一	一	前四行	稷從子種 汲北	永孫	殿是，傳文○衲誤
	二	前五行	年六十四而云	亡	殿是
	三	前九行	太極殿前鍾聲嘶 汲	鐘 北	按鍾鐘通用

卷	葉	行	元本	殿本	備註
傳卷廿二	四	前六 後六行	爲車騎楊◦州	揚 汲北	
	五	前二行	劉 殘 郡屬爲	吳 汲北	脩
		前二行	孝武 空格 岱山謂曰	召 汲北	脩
	六	前四行	爲官◦職復轉中庶子	宮	殿是，見南齊書
	七	前八行	劉悛之爲益州獻弱◦柳數株	蜀 汲北	疑殿是
	七	後一行	丹楊◦尹 北	陽 汲	
		後二行	問◦曰	間	殿誤
	八	前十行	充穀◦巾葛帔	穀	殿是
		後六行	充生平少長◦偶不以利欲干懷	無長字	殿是，見梁書張充傳，見考證
	十	前二行	充朝 空二格 立	服而 汲北	補
		後九行	文季每還◦直	遷	殿誤
	十三	前一行	向作二 空四格 虞訥者	千餘首有 汲北	補○梁書向二千許首

卷葉	行	元本	殿本	本備註
傳卷廿一 十二	前二行 後	更爲詩示焉 空四格		
		訥便	託云沈約 汲北	補
	前三行	訥慙 空四格 少玄家	而退時陸 汲北	補
	前八行	爲司徒謝朏。掾	朏 汲北	
	後十行	邑子儀曹郎顧 空格		
		之求娉	珧 汲北	補○殿誤、梁書張率傳作玩○但十三葉前一行亦作珧，可不作誤修論○批修，誤修
十三	後一行	今亡。其文者	無	
十四	前一行	性疎率 空格 悟	朗 梁書 汲北	補
	後一行	乃使直閤。張齊	閤	
十五	前六行	常閑閤。讀佛經	閤	
	後三行	時見云究。融卷稷		
		爲四張	目 充 汲北	
十六	後一行	速。死爲幸	脫速字	見考證
十七	前六行	其爲々所推如此 汲	有時字 北	殿是，見考證
	前七行	仁。恕寡欲	恕 汲北	修

卷	葉	行	元本	殿本	備註
傳卷廿二	十七	前十行後	十四卷〻稜亦清靜有		
			識度 汲北	有種弟二字	見考證
		後四行	義絶。百心 汲	終 北	殿誤，見考證
傳卷廿三	一	前三行	〻寶積	有融弟二字	
		前三行	徐文伯〻嗣伯	有文伯從弟四字	
		前五行	桓玄從〻於廣州	有誕字	見考證
	三	後二行	眞。千里駒也	眞 汲北	未批修，修
		後七行	父邵小名棃。	棃	殿誤
		後七行	檀何如棃。	黎	殿誤
		後七行	棃是百果之宗	棃	殿誤
	四	前十行	墜淮〻死	行而字 汲北	
	五	前二行	元嗣等懲劉山楊。		
			之敗	陽 齊書	
		前五行	蔭。其樹者不折其		
			枝 汲北	陰	殿誤
	八	前十行	故下。復重付	不 汲北	修

卷	葉	行	元本	殿本	備註
傳卷廿二	八	前後七行	元凶殺。逆	弑 汲北	
	十	後六行	以示鎮軍將軍顧		
			覬。之	顗	殿誤，見宋書傳四十一
		後六行	覬之曰	顗	
		後八行	覬。く與融兄有恩好		
			覬。く卒 汲北	顗 有之字 顗	
				有之字	
	十一	後五行	進不辯。貴	辨	殿誤○按辯辨通，南齊書張融傳作辨
	十三	前五行	乃勝新。也	所	殿誤，按新對上故字言
	十四	前六行	何至因遁。寄人籬		
			下。	循 汲北	
		後三行	至融弟鐵之舍	集	
	十五	前十行	范悦時。	詩 汲北	修
	十七	前六行	醫療既僻。 汲	癖 北	殿誤
傳卷廿三	一	後七行	左長史王准。之	淮 北	殿誤，見宋書傳二十○汲
	三	前九行	く表賀	泰 汲北	汪補○宋書無泰字

卷	葉	行	元本	殿本	備註
傳卷廿三	三	前後五行	上每優遊之。汲北	容 宋書	殿是，見考證
		後七行	足婦一至 汲北	匹	按至宋書范泰傳作室
	六	後十行	楊州刺史 汲	揚 北	
	七	前六行	許曜。侍上 汲	耀 北	上文耀○修
		後八行	來緣㦙。無識 汲北	㦙 宋書	殿是，見考證
	八	前四行	嘗昔。論事	共 汲北	修
		後十行	曅收淚而已。	止 汲北	
	九	前四行	其繆。亂如此	謬 汲北	按繆謬通，見說文
		前四行	寄語言。僕射	何 北 宋書	汲作音○言說文音
		後五行	東膏氏。鈍	昏 汲北	修
	十	前一行	然後袖。其芬芳	抽 宋書 汲北	北修，未修
		前四行	本末。開史書 汲	未 北	按末開宋書范曅傳作未開
	十三	後六行	或延及祖 空格	禰 北	補○汲彌
		後十行	昨萬秋對 空格	策 汲北	補
	十四	後二行	如袁宏于。寶之徒 汲	干 北	殿是，見晉書
	十五	前二行	兗州刺史滕恬。	怗 北	殿誤，見宋書鄭鮮之傳○汲注一作怙

卷	葉	行	元本	殿本	備註
傳卷廿三	十五	前後二行	恬。子羨仕官不廢	恬 北	殿誤、按官當作宦。並見宋書鄭鮮之傳〇汲注恬一作怙
	十八	前九行	松之所著文論及		
			晉記。汲	紀 北	
		後一行	有司奏太子婚。	大	殿誤
		後十行	歷 空格 部	祠 汲北 南齊書	補
	十九	前一行	永明三年。汲	二 北	殿誤，見南齊裴昭明傳
		前七行	廣陵太守。汲	廬 北	殿誤，見南齊裴昭明傳
	二十	前二行	或勸言語有司	請 汲北	殿誤〇疑諸字之訛〇當作諸，見梁書裴子野傳〇北修，誤修
		前五行	後爲諸既。令	暨 汲北	
	廿一	前三行	大學北侵敕子野		
			爲<魏文	有移字	按梁書有喻字
		前六行	喻魏相元乂。汲	又	修
	廿三	後三行	時丹陽溧陽。	溧 汲北	修
		後六行	十 空格 年	六 汲北	補

卷	葉	行	元本	殿本	備註
傳卷廿三	廿四	前九行後	張永嘗開玄武湖過。		
			古冢	遇 北	殿是。汲過注一作遇
		後五行	善倏何。顏色	伺 北	殿誤。汲注一作何，按何指承天言
		後八行	承天刪減并合。以人類		
			相從 汲	各 北	殿誤，見宋書何承天傳
		後九行	並傳於 空格	世 汲北	補
	廿五	後九行	而于時之譽	干 汲北	修
		後九行	本。期俱不爲弘 汲	不 北	汲本注一作不。殿誤，按宋書傳二十史臣論作「而在朝之譽不弘」
傳卷廿四	一	前四行	く弘讓 汲北	有弘正弟三字	見弘正傳文
	二	後三行	空格阮咸云	詠 汲北	補
		後四行	韜精日沈 空格	飲 汲北	補
	四	後一行	孝武登祚。	阼	
	六	前四行	孝武踐祚。	阼	
		前十行	丹楊。尹	陽 汲北	
		後一行	爲丹楊。尹	陽 汲北	

卷	葉	行	元本	殿本	備註
傳卷廿四	六	前後三行	名竣子爲辟強。	彊 汲北	
	七	後四行	謂之来子錢。	來 汲北	批修、未修〇殿誤，見宋書顔竣傳
		後六行	謂之綖環錢。	綖 汲北	殿誤，見宋書顔竣傳
		後八行	唯禁鵝眼綖環其		
			錢皆通用	綖 仝誤	綖殿誤，見宋書顔竣傳〇按錢當作餘，見宋書顔竣傳
		後十行	復空格謝莊	代 汲北	補
	八	前四行	竣藉蕃朝之舊臣	藩 汲北	宋書作藩，按蕃藩通用
		後六行	未慮上聞	末 汲北	按宋書顔竣傳作末上慮聞
	九	前七行	子辟強。徙交州	彊 北	汲作彊
	十	前二行	孝武踐祚。汲	阼 北	
		前六行	師伯一輸伯萬。	百 汲北	
		前八行	七年爲尚書左僕。		
			射 下文左	右 汲北 宋書	殿是〇批修、未修
	十一	前九行	文義之士必集 汲北	畢	殿是，見宋書沈懷文傳
		後一行	誕當爲廣州。	嘗 汲北	殿誤，見宋書沈懷文傳

南史 校勘記 傳廿四 一〇三頁

卷葉行	元本	殿本	備註
傳卷卅四 十一 前後四行	元凶殺立	弒 汲北	
後八行	揚州中從事	揚 汲北	
十二 前三行	揚州移居會稽	揚 汲北	居宋書作治
前五行	其楑一也	揆 汲北	修
前五行	天亦從之 汲	必 北	按宋書作亦
後七行	揚州徙居	揚 汲北	
十三 後九行	上方注弩	怒 汲北	殿誤，見宋書沈懷文傳
十六 後五行	仍爲府三簿	主 汲北	修
十七 前五行	爲之發 空格	病 汲北	補
二十 前五行	其杭直守正如此	抗 汲北	修
前十行	乾巛二繫 汲北	坤	按巛古文坤字，見後漢書輿服志
廿二 前十行	二年自周還 汲	三 北	按二乃三之殘，事具陳書宣帝紀及周弘正傳
廿三 前二行	今乾巛易位 汲北	坤	
後九行	古今 空二格 同焉	之所 汲北	補
後十行	空格 夫顏謝 空二格 朝	觀於宋 汲北	補
卅四 前六行	足以追蹤古烈 汲	縱 北	殿誤

卷	葉	行	元本	殿本	備註
傳卷廿五	一	前後七行	博涉史傳。汲	經 北	殿誤，見宋書劉湛傳○汲史注一作經
	二	前九行	母。於江陵病卒 汲北	琰	見考證，殿是，見宋書○嫡母亡見一葉、十七年所
					生母亡見三葉可證
		後八行	上友空二格篤	于素 汲北	補
		後九行	委空格已爾	受 北	補○當作授，見宋書劉湛傳，汲古作援○已修，誤修
	三	後二行	委任共。事。	甚重 宋書 汲北	原作共誤脩其○其脩共
		後六行	劉斑初自西還 汲北	班	殿誤，湛小字班斅見七行
		後七行	丹楊。尹	陽 汲北	
	四	前一行	禍至其能久矣。汲	乎 北 宋書	殿是
		前三行	不言無戎應亂 汲北	我 宋書	見考證
	五	前九行	當〻舟東下	有浮字 汲北	
		後九行	爲丹楊丞	陽 汲北	
	六	前三行	安可〻未到廢其節		
			乎	有以字 汲北	
		後二行	性好絜。	潔 汲北	

卷	葉	行	元本	殿本	備註
傳卷廿五	六	前後四行	士大夫小不整絜。	潔 汲北	
		後四行	仲文好絜。	潔 汲北	
	八	前六行	傾南奉。之半	俸 汲北	按奉俸通用，見前漢宣帝紀
		前十行	論虞秀〈黃門 汲	有之作二字 北	汲注一有之作二字
	九	前七行	仍嘗。送至新林 汲	當 北	汲注一作當
	十	前六行	〈王所禮接 汲	有爲字 北 梁書	
	十一	前八行	元凶。殺立	弑 汲北	
	十三	前九行	號白馬廟云 汲	曰 北	殿誤
	十四	後二行	死者太。半	大 汲北	殿誤
		後二行	裹以笙。席	葦 汲北	見方言○殿誤，按簟謂之笙，見楊子方言
	十五	前七行	人生理外。 汲北	會	南齊句是○按南齊書陸慧曉傳作「亙生理外」
		前十行	尚未譏。登	議 汲北 南齊	
		後五行	〈人所害乃大也 汲	有斂字 民 南齊北	汲注一作斂民
	十六	前九行	雖。卒澄之。 汲	一 北 南齊	汲注一作一
		後一行	間。者忽不經懷	聞 南齊 汲北	對下見字
	十七	前八行	爲楊。州牧	揚 汲北	

卷	葉	行	元本	殿本	備註
傳卷廿五	十八	前七行	識用空格能	才 汲北	補
卷		前八行	則君臣之道用。變。		
卷		前後行	兄成主	變用 汲北	殿誤，見宋書傳廿九史臣論
卷		前九行	苟相崇。悅	宗 汲	殿誤，見宋書傳廿九史臣論
傳卷廿六	一	前四行	演之從く子憲 汲北	有祖弟二字 傳文	
卷		前四行	玄。孫。蒨 汲北	斆子	
卷		前五行	五。世。孫。紑 汲北	蒨子	
卷		前五行	六。世。孫。揔 汲北	紑子	
卷		前五行	子。謚	孫	按傳文江秉之子徽，徽子謚
卷	二	前一行	即板欣補右軍劉蕃。		
卷		前後行	司馬 汲北	藩 宋書	
卷		後一行	祖揩。晉尚書都官		
卷		前後行	郎 汲北	楷 宋書	殿是，見考證
卷	三	前一行	歷丹楊。尹	陽 汲北	
卷		前三行	產業儉簿。	薄 汲北	修
卷		前四行	元凶紱。立	紱 汲北	

卷	葉	行	元本	殿本	備註
傳卷廿六	四	後九行	奪土。人妻 北	士 宋書 汲	修
卷	六	前三行	演之所得偏多	偏 汲北	修
卷		前四行	不憂。河山。之不開		
卷		行	也 汲	山河 北	
卷		後十行	竝不起。 汲	赴 北	殿誤
卷	七	前八行	憲字彥璋。 汲	章 北	殿誤、見南齊良政傳
卷		行			元本並缺
卷	八	前六行	知其皆盟。	背 汲北	修
卷	九	後五行	唯く贊成之	有湛字 汲北	殿是
卷	十	前八行	爲丹楊。丞	陽 汲北	
卷		前九行	政在江都。	郎 汲北	修
卷		後十行	於是斅還本 不明 詔 不明		
卷		行	自量立後者	家使 汲北	補
卷	十一	前二行	武帝遣信。儉覆	使 汲北	殿誤，見南齊書江斅傳。按古人謂使者曰信，見司馬相如喻巴蜀檄〇宋書信
卷		行			
卷	十二	前三行	明帝敕。遣。齋。仗。二。十。		

卷	葉	行	元本	殿本	備註
傳卷廿六	十二	前三行	人。防。之。墓。所。服。闋。累。		
卷		前後行	遷。建。安。内。史。梁。武。		
卷		前後行	帝。起兵 汲	脫此二十二字 北	見梁書江祏傳
卷	十四	前三行	深相欽柅。	柅 汲北	修
卷		後四行	輕。以罪斥之 汲	輒 北 陳書	殿是
卷	十六	前一行	以爲鞭指墓石柱	馬 汲北	修
卷		前十行	宋世惟顧覬之 汲	顗 北	殿誤，見宋書傳四十一
卷	十七	後六行	諸皇子出閤	閣	
卷		後七行	用文武王帥 汲	主 北	收盟作主帥，見文惠太子傳○周爲主帥，見南齊傳廿一史臣論○王帥，南齊書作主帥。按王帥疑王師之訛，王國置師友文學，見宋書百官志下○舍人諸曇粲并主帥見邵陵王綸傳
卷		前後行			
卷		前後行			
卷		前後行			
傳卷廿七	一	前三行	弟〱文秀 汲	有子字 北	按文秀慶之弟邵之子，見傳文
卷		前三行	從〱子攸之 汲北	有父兄二字	
卷		前四行	從子文。	夬 汲北	修
卷		後六行	及湛被收之夕	被 汲北	修

卷	葉	行	元本	殿本	備註
傳卷廿七	一	前十行	率象助脩之く失	仝上	應疊脩之二字、見宋書沈慶之傳
卷		行	律 汲北		
卷	二	後八行	丹楊。尹	陽 汲北	
卷		後十行	爲國讎。如家	讐 汲北	修〇本似誤修
卷	三	前八行	節下有一范曾。而不		
卷		行	能用 汲	增 北	按宋書沈慶之傳亦作曾
卷		後六行	元凶殺。逆 汲北	殺 此不作弑	
卷		後九行	未。見孝武	求 汲北	修
卷	四	前一行	殿下何。是。疑之深	是何 汲北	
卷		後十行	沈道愍。	愍 汲北	修
卷	六	前五行	請口受。師伯	授 汲北	宋書亦作受〇殿是〇批修未修
卷		後一行	履行園。田。汲	田園 北	
卷	七	前五行	爲侍中大。尉 汲	太 北	修
卷	八	前四行	瘦已勝肥狂又。勝		
卷		行	癡 汲北	已	殿誤
卷	十一	後一行	字伸。遠	仲 汲北	修

卷	葉	行	元本	殿本	備註
傳卷廿七	十一	前四行	又遣直閤。	閤	殿是
卷		後十行	叅。建三年	孝 汲北	修
卷	十二	前二行	當加厚賁。	賞 汲北 宋書	
卷		前九行	在虎檻五軍後爲。		
卷		行	駱驛繼至 汲	又 北 宋書	
卷		後二行	攸。之内撫將士 汲北	收	殿誤
卷	十三	前一行	大破。賊於赭圻 汲	敗 北	殿誤，見宋書沈攸之傳
卷		前二行	南賊大師。劉胡	帥 北 宋書	汲太師注一作大帥○輔國將軍豫州刺史劉胡見鄧琬傳
卷		行			
卷		後十行	蜀上。撥擾	土 汲北	修
卷	十四	前六行	夜中諸廂廓。	廊 汲北	修
卷		前十行	元徽二年 北	徽	汲徽、修
卷		後十行	其事難齊。高帝	濟 汲北	修
卷	十五	前二行	進其階級 汲	二 北	殿誤，見宋書沈攸之傳
卷		前十行	邪。不爲百口作計	那 汲北	
卷	十六	前三行	當令。軍糧要急	今 汲北	修

卷	葉	行	元本	殿本	備註
傳卷廿七	十七	後一行	令。蕭公廢昏立明	今 汲北	修
卷	十九	前五行	愬以爲外國有師。子	獅 汲北	
卷		後六行	左右顧眄。汲	盼 北	殿誤
卷	二十	後三行	子曜卿〱 汲	嗣 北	
卷		後八行	終從諸葛之甍。伐。德		
卷		前後行	其有數乎	夢代 北	汲作甍代○宋書傳卌四史臣論「不識代德之紀」
傳卷廿八	二	後九行	左右犄。角之	掎 北	汲犄○修掎
卷	三	前七行	出于長洲。	州 汲北	殿誤，見宋書柳元景傳
卷	四	前八行	元景出屯採。石 汲	采 北	
卷		後七行	驃騎太。將軍	大 汲北	修
卷		後十行	日暮。寒、甚	暮 汲北	修
卷	五	前七行	以錢乞。守園人	乞 北	汲气○乞通气○按乞與也，見晉書謝安傳
卷		前八行	嚴恭。無常	㬥 汲北	修暴
卷	六	前二行	給班。劒三十人 北	班 汲	修
卷		後七行	以所送。首示之 汲北	逆	殿誤
卷	七	後一行	坐胡牀。汲	牀 北	修

卷	葉	行	元本	殿本	備註
傳卷廿八	八	前四行	齊高帝踐祚。汲北	作	
卷		前五行	上手。詔司徒褚彥		
卷		行	回 汲北	子	殿誤，見南齊柳世隆傳
卷		前八行	啓高帝借祕閣。書	閤	殿誤
卷		後一行	齊亦於此。李矣	季 汲北	本係誤修○修
卷		後三行	而衛軍王僉。	儉 汲北	修
卷	九	前一行	御史中丞庾果。之	杲 汲北	修
卷		前二行	乃轉尚書今。	令 汲北	修
卷		前五行	斑。劒二十人 汲北	班	修
卷		後七行	及難作〻以〻免 汲	有竟字 有得字 北	
卷	十	前二行	吾常 北。卿	比 汲北	修
卷		前七行	度量寬傅。	博 汲北	修博
卷		後四行	可爲儀表。汲	表儀 北	殿誤
卷		後七行	暕。雖名家	暕 汲北	修
卷	十一	前一行	申其罔。極之心 汲北	罔	殿誤
卷		後二行	父老千。餘人拜表陳		

卷	葉	行	元本	殿本	備註
傳卷廿八		前後行	請 汲	十 北	殿誤、見梁書柳惲傳
卷	十一	後四行	以第。援琴	筆 汲北	修
卷	十二	前四行	政在養人。汲	民 北	
卷		前五行	都亭後。	侯 汲北	修
卷	十三	前二行	西中郎長史蕭穎		
卷		前後行	胄〻未定	有計字 汲北	按南齊書蕭赤斧傳作「意猶未決」
卷	十五	後三行	是後閉。營不戰 汲北	開	殿誤
卷		後十行	送命。二十萬石	米 汲北	修
卷	十六	前三行	始於未。异	朱 汲北	修
卷		後八行	與兄仲禮〻經略上		
卷		前後行	流 汲	有倶見景景遣仲	
卷		前後行		禮七字 北	殿是、見梁書柳敬禮傳
傳卷廿九	一	前四行	繪子孝綽〻 汲北	有孝綽子諒 孝	
卷		前後行		綽弟潛八字	
卷		前八行	孝武。外甥司徒參軍		
卷		前後行	穎川荀僧韶 汲	祖 北	下文「甥少有立功之志」可證○殿是、按宋書殷孝

卷	葉	行	元本	殿本	備註
傳卷廿九	一	前八行			祖傳作「孝祖外甥葛僧韶」
卷	一	前十行	僧韶門。行得至	間 汲北	修
卷	二	前五行	與琅邪王景文相将。汲	埒 北 宋書	修
卷	四	前四行	末。明帝多忌反語	宋 汲	修
卷	五	前一行	抑。元景中興功臣	柳 汲	修
卷	七	後五行	子孺字季。幼。	孝稚 北	殿是，梁書傳三十五
卷	八	後五行	孝綽右。職	在 汲	修
卷		後六行	常謂犬。曰大。噬行		
卷		行	路 汲犬犬	人犬 北	修
卷	九	前七行	野多馴翟。汲	雉 梁書 北	
卷		後四行	叔父繪常歎伏。之 汲	服 北	伏屈服也，見左傳
卷	十	前四行	時琅邪王綱。爲功曹 汲	綱 北	按南齊劉繪傳作詡
卷		前七行	未審孔丘何門。	闕 汲北	修
卷		後一行	而繪音采不瞻。麗		
卷		行	雅有風則 汲	贍 北	按南齊劉繪傳作「繪之言吐又頓挫有風氣」
卷	十三	後九行	多所陵忽。	忽 汲北	修

卷	葉	行	元本	殿本	備註
傳卷廿九	十二	前九行	太。府卿沈僧旻 汲	大 北	殿誤，按太府掌帑藏財物○按梁書劉孝綽傳作太府卿沈僧杲
卷		行			
卷	十三	前三行	好事者咸誦。傳。寫 汲	傳誦 北	殿誤
卷	十四	前六行	奉寡㛐。甚謹	嫂 汲北	
卷	十五	前一行	令舊。畫王形象	蒨 汲北	修
卷		後一行	并圖王平生。所寵		
卷		行	姬 汲	日 北	
卷		前二行	妃視畫。仍唾之 汲	畢 北	
卷		前三行	此。姬亦被廢苦 汲	寵 北	
傳卷三十	二	前七行	元凶弑。逆 汲北	仝上	
卷	四	前二行	威。云萬人敵	咸 汲北	修
卷		前七行	並授。徐州刺史申坦		
卷		行	節度 北汲	仝誤	當作受，見宋書薛安都傳
卷	五	後十行	丹楊。丞	陽 汲北	
卷	六	前七行	出聽。事 汲	廳 北	按廳古作聽
卷	七	前五行	有鳩。棲其中 汲	鴟 北	殿誤，見宋書鄧琬傳

南史 校勘記 傳廿九、傳三十 一一五頁

卷	葉	行	元本	殿本	備註
傳卷三十	八	前一行	胡因要。那等共語 汲	與 北	殿誤，見宋書鄧琬傳
卷		前六行	不謀共。報 汲	其 北	殿是，見宋書鄧琬傳
卷		後八行	江路岨。斷 汲	阻 北	
卷	九	後三行	劉胡南陽涅陽人		
卷		行	也 不提行	提行	
卷	十二	前五行	不嘗。爲將不可遣 汲	當 北	殿誤，見宋書吳喜傳
卷	十四	前六行	夫。至郢州	未 汲北	修
卷		後三行	濟。高帝	齊 汲北	修
傳卷卅一	一	前四行	衡陽元王道度く 汲北	有繼子鈞三字	殿是
卷		前六行	安陸昭王緬。汲北	絎	傳文絎○按緬絎同，見玉篇○南齊宗室傳作緬
卷		行			
卷	二	前二行	再拜鯁。咽	哽 汲北	按鯁哽通，見前漢賈山傳
卷	四	前十行	破東治。出因 汲	冶 北	修
卷	六	前十行	帝子弟弱。小	小 汲北	補完
卷		後六行	聞於朝廷。北	延	汲作庭○殿誤
卷	七	前一行	末年專く釋教 汲	有尚字 北 梁書	

卷	葉	行	元本	殿本	備註
傳卷卅一	七	後三行	望物。情歸已	物 汲北	補完
卷		後五行	新吳侯景先 不提行	提行	
卷	八	前三行	武帝踐祚。 汲北	阼	
卷		前四行	未至府門。中。詔相		
卷		行	闡 汲	中門 北	殿誤，按中詔屢見宋書傳六十自序
卷		前十行	忽聞壍中有小兒呼		
卷		行	蕭丹楊。	陽 汲北	
卷		後二行	焉知汝後不作丹楊。		
卷		行	尹	陽 汲北	
卷		後三行	詔以景先爲丹楊。尹	陽 汲北	
卷		後五行	位北。中郎司馬 汲	至 北	殿誤，見南齊書蕭景先傳
卷		後九行	于丹楊。故所立宮	陽 汲北	所南齊作治
卷	九	前三行	欲鑄壞太 空二格 日上		
卷		行	壽	官元 汲北	未批補，補○南齊官誤宮
卷	十	前九行	梁武帝復追。天武齎		
卷		行	書 汲北	遣	殿是，南齊○見考證

卷	葉	行	元本	殿本	備註
傳卷卅一	十	前九行	是待。或云山陽	時 汲北	修
卷	十二	前六行	丹楊尹	陽 汲北	
卷		後九行	輙聞鼓角 汲北	開	殿誤
卷		後九行	推。埋者 汲	椎 北	修
卷		後十行	及開。汲北	聞	殿誤
卷	十三	前十行	諶每請急宿。出。汲北	出宿	傳六十・六頁後二行不請休急〇殿是，見南齊蕭諶傳，見考證
卷		行			
卷		後九行	作頤筋。汲	筯 北	修
卷	十四	後一行	請免誕。等官 汲北	誕	殿誤，按誕諶兄也
卷		後五行	妻江淹女字才君聞		
卷		行	誕。死	諶 汲北	殿誤
卷	十五	前五行	爲東宮直閤。	閤	殿誤
卷		前八行	親信不難。汲北	離	殿誤，見南齊蕭坦之傳
卷	十六	前九行	少帝腹心直閤。將軍		
卷		行	曹道剛	閤	殿誤
卷	十七	後二行	遷尚書左僕射丹		

南史 校勘記 傳廿一、傳廿二 一一九頁

卷	葉	行	元本	殿本	備註
傳卷廿一	十七	後二行	楊。尹	陽 汲北	
卷		後三行	羣小畏而憎。之 汲	惜 北	殿誤，見南齊蕭坦之傳
傳卷廿二	一	前四行	豫章文獻王嶷子子		
卷		行	廉 子恪 子操 子範 子範子乾 子範弟子顯		
卷		行	子雲 汲北	無此子目二十六	
卷		行		字	
卷	二	後六行	江漢。来蘇 汲北	建	殿誤，見南齊豫章文獻王傳
卷	三	後二行	結柴。於三溪	砦 汲北	按師行野次豎散材爲區落曰柴，見說文○南齊書作寨
卷		行			
卷		後四行	楊。州刺史 汲	揚 北	
卷	四	後八行	又因言。宴求解揚		
卷		行	州 汲	宮 北	南齊書亦作言，按言訓從，見廣雅。
卷	五	前三行	天網宏罩。	罩 南齊	
卷		前三行	幸可。不爾 汲	甚 北	殿誤○見南齊豫章文獻王傳
卷	七	前七行	此殆近皃。言	貌 北	按貌本作皃見說文，汲訛皃。
卷	八	前一行	于。飯酒脯	干 汲北	修

卷	葉	行	元本	殿本	備註
傳卷廿二	十	前三行	令○太醫煑椒二斛 汲	大 北	南齊百官志大○按大當讀如泰，實可不修○原批修，誤修
卷		行			
卷		前五行	會上暫臥	上 汲北	修
卷		後三行	所爲○唯景和	遺 梁書 汲北	殿是
卷	十二	後一行	王命記室蔡遠○注釋		
卷		行	之 汲	蘧 北	梁書蕭子範傳○殿是
卷		後二行	遷丹楊○尹	陽 汲北	
卷	十三	前十行	立柴○自保	呰 汲北	
卷		後一行	趙他○歸順 汲	佗 北	按他佗通，見正韻
卷	十五	後十行	風神閑曠○ 汲	廣 北	殿誤
卷	十六	前三行	遷丹楊○郡丞	陽 汲北	
卷		前九行	善效鐘○元常 北	鍾 汲	修
卷	十七	前一行	以要其○荅 汲	酬 北	按其指子雲言
卷		前二行	子雲逃人○聞○ 汲	民間 梁書 北	殿是
卷		前九行	甚見貴○ 汲	賞 梁書 北	殿是
傳卷廿三	二	前七行	若骨肉下○相圖	不 汲北	殿是

卷	葉	行	元本	殿本	備註
傳卷卅三	二	前十行	嘗幸模糊一。晃從	鍾山 汲北	補修，一字實係誤修
卷		前後行	駕		
卷	四	前一行	王邸亦有嘉名不。汲	否 北	
卷		前三行	尋爲丹楊尹	陽 汲北	
卷	五	前五行	累遷丹楊尹	陽 汲北	
卷	七	前二行	當有貴一。臨州 北	王 汲	見考證
卷		前三行	宗。諸劉滅亡之象	宋 汲北	修
卷	八	前三行	善閉無關楗。	鍵 汲北	按無關楗而不可開，見老子道德經。修
卷		前八行	乃遣切曹	功 汲北	
卷		前一行	有廣漢什邡人段		
卷		前後行	祖 汲	邡 北	殿誤○見宋書州郡志四益州
卷		前八行	上爲南康王子琳起		
卷		前後行	青楊。巷第 汲	陽 南齊書 北	
卷	九	前五行	以王騏。驎賜之曰騏。		
卷		前後行	驎。賞鳳尾矣 汲	麒麟　麒麟 北	
卷		前九行	闍梨。琴亦是柳令之		

卷	葉	行	元本	殿本	備註
傳卷卅三	九	前九行	流亞 汲北	黎	殿誤，見後六行，按闍梨本出梵語
卷		後二行	別駕江祐。	祏 汲北	修
卷	十	前三行	既殊羣而杭。立	抗 汲北	按抗或从木，見說文〇北修，未修
卷		後四行	庶。後凋。之可詠 汲北	度 凋	殿度誤，凋是
卷	十一	前七行	左右誤排柟瘤屏		
卷		後行	風 汲	榴 北	見考證
卷		前七行	倒壓其皆。	背 汲北	修
卷		後二行	詠陸儀。弔魏武云	機 汲北	修
卷	十三	前三行	易生推。擬。汲	猜疑 北	汲注一作猜疑〇按南齊書傳十六史臣論亦作推擬
卷		後行			
卷		前五行	遂韜末。命於近戚 汲	永 北	殿誤，見南齊傳十六史臣論
卷		前七行	宗族纖。滅	殲 汲北	修
傳卷卌四	一	前十行	南唐。王子琳	康 汲北	修
卷	二	前二行	不欲勵。佗。族 汲	他 北	
卷		前九行	君所主夫人妻。太子		
卷		後行	嫡歸 汲	喪 北	殿誤，見禮記服問

卷	葉	行	元本	殿本	備註
傳卷卌四	三	後一行	震本非天義豈當		
卷		行	相主。	左 汲北	殿誤，見南齊書文惠太子傳
卷		後三行	臨川王暎。諮孝爲德		
卷		行	本義 汲	映 北	殿誤〇按暎映同，南齊書傳二傳十六互見
卷		後四行	上将訖丹楊。所領因	陽 汲北	
卷		後九行	其中起出土山池。		
卷		行	閤 汲北	地	殿誤
卷	四	前二行	光采。金翠 汲	彩 北南齊	
卷		後二行	仍。移家避之	乃 汲北	脩
卷		後七行	内外百姓弘。成。謂旦		
卷		行	暮繼體	私、戚 汲北	脩〇南齊内外百司咸謂，是
卷	五	後八行	仍。爲丹楊。尹	陽 汲北	
卷	七	前七行	於第北立解。收卷	廨 汲北	按解廨通、見商子墾令篇
卷		後一行	於。殿户前誦經。 汲	講 北	見南齊竟陵文宣王子良傳〇殿誤
卷		後七行	太。孫少養於子良		
卷		行	妃 汲北	大	殿誤

卷	葉	行	元本	殿本	備註
傳卷卌四	十	前六行	非關序賊。汲北	賦	殿誤，賊是
卷		前七行	極言誣毀。汲	詆 北	
卷		後二行	又作銀鐙。汲	燈 北	何以作鐙亦是銀鐙乘具〇殿誤，見南齊廬陵王子卿傳
卷		前後 行			
卷	十一	後八行	天下豈有兒及。身不		
卷		前後 行	作賊	反 汲北	修
卷	十二	前一行	王衡。天 北	衝 汲	見考證、按南齊惠復侯傳作充
卷		前二行	上又遣丹楊。尹蕭		
卷		前後 行	順之	陽 汲北	
卷		後十行	丹楊。尹	陽 汲北	
卷	十三	後二行	武帝敕付祕閣。	閤	殿誤
卷		前八行	欲華不一。委	萎 汲北	修
卷	十四	前四行	孝武亦其用之	嘗 汲北	
卷		後七行	翻成梟鏡。	獍 汲北	按破鏡食父獸，見前漢書郊祀志
卷		後九行	丹楊。姑熟人	陽 汲北	
卷	十五	前四行	乃配東治。	冶 汲北	修

卷	葉	行	元本	殿本	殿本備註
傳卷卅四	十五	前九行	欲因。將還都 汲	因 北	殿誤
卷		後一行	玄邈嘉其節厚。爲		
卷		行	殯斂 汲	後 北	殿誤
卷		後四行	隨郡。王子隆	郡 汲北	修
卷	十六	後八行	明帝遣。中書舍人	遣 汲北	修
卷	十九	後十行	殷貴嬪。生巴陵隱王		
卷		行	寶義 汲	妃 北	殿誤、見南齊明七王傳
卷	二十	後十行	以步鄣裏。之	裏 汲北	修
卷	廿一	前八行	百姓數千人。汲	十 北	殿誤、見南齊鄱陽王寶寅傳
卷		後十行	不以擇賢傳。之昏		
卷		行	孽 汲北	傳	傳是
傳卷卅五	一	前七行	而兩腋。下生乳 汲	掖 北	殿誤
卷		前八行	夢騎五色師。子	獅 汲北	按師獅通、見後漢順帝紀
卷	二	前六行	元徽二年。隨齊高		
卷		行	帝拒桂陽賊於新		
卷		行	亭 汲	三 北	殿誤、見南齊紀一

卷葉	行	元本	殿本	備註
傳卷卅五 二	前十行	薦湯。太極殿柱	易 汲北	原易○修
卷	前一行	順帝欲避上。不肯出		
卷 三	行	宮遜位	土 汲北	南齊書王敬則傳作土○殿誤、按上疑指齊高帝、下文又逃宮內
卷	行			
卷	前五行	不復天。王作因緣	天	無證○原批修，誤修
卷	後六行	領丹楊。尹	陽 汲北	
卷 五	前八行	作懊憹。曲	儂 汲北 古樂府 南齊書	晉書五行志作懊
卷	後八行	其夜呼僚佐文武摴。		
卷	行	蒲。賭錢	樗蒱 北	按蒲蒱通，見馬融摴蒲賦○已修蒱，誤修○摴，殿誤○汲也作摴
卷	行			
卷 六	後六行	乃。率實甲萬人	及 汲北	殿誤，見南齊王敬則傳
卷	前七行	應須作撤。	檄 汲北	修
卷	前十行	檐。篙荷鍤	擔 汲北	按檐擔通見管子七法篇
卷 七	前一行	南彭城彭城。人也	漏疊彭城二字 汲北	按彭城屬南彭城郡，見南齊州郡志上
卷 八	前二行	是王謝家許。汲	物 北	殿誤，按南齊書陳顯達傳亦作許○汲注一作物
卷	行			

卷	葉	行	元本	殿本	備註
傳卷卅五	八	前二行	不須捉此自遂。汲	隨 汲	按南齊陳顯達傳作逐〇汲注一作隨逐
卷		後八行	以爲江州刺史鎮		
卷		行	盆。城 汲	彭 北	殿誤、按彭城屬南徐州盆城屬江州〇汲注一作彭
卷		行			
卷	九	前四行	與松戰於採。石	采 汲北	
卷	十	前一行	爲城東吳泰家檐。		
卷		行	水	擔 汲北	按擔檐通
卷	十一	前五行	兼長史江人。	乂 汲北	修
卷		前五行	還江陵。汲北	陸	殿誤、見南齊張敬兒傳
卷	十二	後五行	用此物設。我	誤 汲北 齊書	修
卷	十三	前一行	人。於新林姥廟	又 汲北	修
卷		前三行	故初名茍。兒	狗 汲北	殿誤、見南齊張敬兒傳
卷		前三行	因茍。兒之名	狗 汲北	殿誤、見南齊張敬兒傳
卷		前四行	帝嫌茍。兒名鄙	狗 汲北	殿誤、見南齊張敬兒傳
卷	十四	後二行	軍三。劉靈運	主 汲北	修
卷	十五	前十行	自採。石濟岸	采 汲北	

南史 校勘記 傳卅五 一二七頁

卷	葉	行	元本	殿本	備註
傳卷廿五	十五	後五行	與驍將。劉靈運 汲	騎 北	殿誤，見南齊書崔慧景傳〇按劉靈運時爲軍主
卷		前後行			
卷	十六	後十行	當烏。盡之運	烏 汲北	修
傳卷廿六	二	前三行	各慕。部曲	募 汲北	修
卷	三	後一行	爲丹楊。尹	陽 汲北	
卷	四	前十行	病瘧。者	瘧 汲北	修
卷		後一行	桂。陽王休範事起 汲北	貴	殿誤，見宋書傳三十九
卷	五	後七行	晉熙王夾。轂主周		
卷		前後行	彥	使 汲北	殿誤
卷	六	後十行	致見錢七千萬皆。厚		
卷		前後行	輪大郭	悉 汲北	
卷	七	後五行	未。遂封侯富顯 汲	末 北	殿誤
卷	九	前二行	武帝踐祚。汲北	作	
卷		後九行	李安人敕。之	救 汲北	修
卷	十	前七行	名播。北國	播 汲北	修
卷		後四行	武帝戲之く 汲	有曰字 北	

卷	葉	行	元本	殿本	備註
傳卷廿六	十	前十行	帝令奉叔求く奉叔		當有之字，殿本亦無
卷		行	不通 汲北		
卷		行			
卷	十一	前四行	出入禁圍。汲	闈 北	殿是
卷		前九行	君。不能見與千户侯	若 汲北	修
卷		後八行	即推鞍下馬。	馬 汲北	修
卷		後九行	即擢爲軍王。	主 汲北	修
卷	十三	前九行	弟。自悉之 汲	第 北	殿誤，見南齊王廣之傳
卷	十四	前一行	累遷丹楊尹。	陽 汲北	
卷		後二行	齊。正。夷獠義租	上 汲北	修
傳卷廿七	一	前三行	祖。思叔父景真 汲北	無祖思二字	
卷		後五行	高帝以間。誤修	聞 汲北	修正○按，今本作聞
卷	二	後三行	乗畫。舴艋	晝 汲北 南齊	殿是○汲畫注一作晝
卷	三	前六行	武帝與豫章王嶷		
卷		行	及敬則自捧肴饌。汲	持 北	
卷	五	前十行	又荅。畏解故不畜 汲	曰 北	殿誤，見南齊崔祖思傳

卷	葉	行	元本	殿本	備註
傳卷廿七	六	前十行	便空格委結	自 汲北	補
卷	七	前六行	蘭涵○風而寫豔 汲	含 北	按南齊蘇侃傳作蘭涵風而瀉豔
卷		後二行	空格雕陵之迷泉	審 北汲	補
卷		後三行	達高帝此空格	旨 汲北	補
卷	八	後二行	太○官鼎味不及也 汲	大 北	殿誤、見南齊書虞悰傳○按虞悰傳作太○原批修、誤修
卷		行			
卷		後八行	寧假杇○老以匡賛惟		
卷		行	新乎 汲	休 北	殿誤、見南齊虞悰傳
卷	十	前三行	帝元○次及廣州貪泉	言 汲北	修
卷	十二	前二行	儉方輿○	盥 汲北	
卷		後三行	彥遠率○爾從旨 汲	爾 北	殿誤、見南齊劉休傳
卷		後八行	宋世載祀○六十	記 汲北	殿誤、見南齊劉休傳
卷	十三	前四行	始建○貞王道生妃	安 汲北	修
卷	十四	後七行	建安王寶黃○ 汲	寅 北	按南齊明七王傳作黃
卷	十五	前一行	祀時直○在殿內	脫直字 汲北	見南齊江祏傳
卷		前八行	江祥今猶在治○	也 汲北	按治疑指東治○殿誤、按治爲罪人待罪之所、可

卷	葉	行	元本	殿本	備註
傳卷卅七		前後行			付冶，見梁武帝諸子傳
傳卷卅八	一	前三行	孫。繕。汲北	脱此二字	
卷		前四行	瑜從〻兄玠 汲北	有父字	
卷		前四行	〻從〻弟琛 汲北	有瑜字父字	
卷	六	後三行	子瓚。早慧	纘	殿是，見梁書陸倕傳
卷	八	前十行	則美詠。清謳有詞章		
卷		前後行	調韻者 汲	韻 北	殿誤，見南齊陸厥傳
卷		後六行	操末續巔。之說	顛	殿是，見南齊陸厥傳
卷	九	前四行	故合少而謬多	語診 汲北	殿誤，見南齊陸厥傳
卷		後十行	美惡妍蚩。汲	媸 北	按陸機文賦作蚩○字書「按毛氏韻增分蚩媸爲二非」
卷		前後行			
卷	十	後九行	自廬陵王起。室	記 汲北	修
卷	十一	前七行	常入山采。藥 汲	採 北	
卷		後七行	太。寧郡人	大 汲北	修
卷	十二	後四行	嘗夜侍坐。武〻冠		
卷		前後行	觸燭火 汲北	脱坐字　衍帝字	見梁書陸雲公傳，按武冠侍臣加貂，見南

卷	葉	行	元本	殿本	備註
傳卷卅八		前後行			齊輿服志
卷	十二	後七行	時爲湘川。	州 汲北	修
卷	十三	後二行	歲月遇淹 汲北	已	殿誤，見陳書陸瓊傳
卷		後九行	雅有識監。	鑑 汲北	按監鑑通，見書酒誥君奭〇原批修，誤修
卷	十六	後七行	以其臨路不咨問。 汲北	間	殿誤
傳卷廿九	一	前三行	何憲 旁注 汲	不旁注 北	
卷		前七行	宋南。郡王 汲北		考證監本脫宋南二字，今不脫
卷	三	前五行	梁武帝踐祚。 汲北	阼	
卷		後四行	時又有水軍都督褚。		
卷		前後行	蘿 汲北	褚	
卷	五	前一行	空格 爲永陽郡	用 汲北	補
卷		後四行	泰 殘字 中	始 汲北	十八葉有泰始初〇修
卷		後五行	殘二字 於靜屋	吉日 汲北	修
卷		後六行	輒於舟 空格 遥拜	中 汲北	補
卷		後七行	爲 空格 散大夫	中 汲北	補
卷	六	前五行	還居父 殘字 舍	山 汲北	修

卷	葉	行	元本	殿本	備註
傳卷廿九	七	前二行	鼓吹候。之 汲	北侯	考證監本訛侯，今不訛
卷	八	後三行	疑 殘字 不止	論 汲北	修
卷		後十行	贈雍州刺史 殘缺	謚敬侯 汲北	補修
卷	九	前九行	峻字孝摽。	標	按梁書劉峻傳作標
卷		後六行	字孝摽。	標	
卷		後八行	苦。所見不博	若	殿誤
卷	十一	後一行	身探。井臼	操 汲北	修
卷		前六行	余聲塵寂莫。	寞 汲北	按寞莫通，見宋玉九辯
卷	十二	前二行	不受禮 殘	謁 汲北	修
卷		前六行	穎。川致美 北	潁 汲	
卷		前十行	齋字士湮。 汲北		考證梁書作烜
卷		後三行	毋明。氏 汲	胡 北	殿誤，見梁書劉齋傳
卷		後六行	循。翔廬側 汲北		考證梁書馴
卷	十三	前三行	婆。娑然		考證梁書娑
卷		前四行	此言未必可安。 汲北		考證一本按
卷		後一行	時新構。閣齋 汲	搆 北	

卷	葉	行	元本	殿本	備註
傳卷卅九	十三	後三行	有人餉昉楉∘酒而作		北楉振〇下句「字苑作木旁从叒右」〇按振字本從木，尋下文問答此當訛從扌，考證殊泥。
卷		前後行	振∘字 汲	楉 振	
卷		前後行			
卷		前後行			
卷		後八行	桓譚新論く 汲	有云字	北嵌補
卷	十四	前八行	爲餘姚令∘	令 汲北	修
卷		前十行	而爲酒府∘之職 汲	厨 北	殿是，見梁書〇步兵厨，見晉書阮籍傳
卷		後九行	文∘集∘十∘五∘卷∘ 汲北		考證一本無此五字
卷	十五	前六行	狼狽∘供奉 汲	狽 北	
卷		後七行	進不保∘尸 汲	裸 梁書 北	殿是
卷	十六	前一行	以爲軌∘則 汲	軌 北	
卷	十七	前五行	一可以甲∘情	申 汲北	修
卷		後七行	尚書郎何炯∘ 汲北	烱	殿誤，按炯訓明察，烱訓炎烝，何炯字士光，故當作炯。
卷		前後行			
卷		後九行	族祖孝標∘	標 汲北	
卷	十八	前一行	許∘嘗著穀皮巾	訏	殿是

卷	葉	行	元本	殿本	備註
傳卷卌九	十八	前一行	殘理閑正	神 汲北	修
卷		後十行	又聚勃。海以應朝		
卷		行	廷	渤 汲北	
卷	二十	前一行	卿殘沈攸之	策 汲北	修
卷		前二行	齊臺殘	建 汲北	修
卷		前五行	天殘廓清殘廷濟		
卷		行	濟	地朝	均修
卷		前六行	高帝踐祚。汲北	阼	
卷		前六行	善明殘誠	勳 汲北	修
卷		前八行	遣空格拜授	使 汲北	補
卷		後八行	宜擇殘二字使	才北 汲北	修
卷		後十行	殘應遠勞將士	未 汲北	修
卷		後十行	又撰賢聖殘語奏		
卷		行	之	雜 汲北	修
卷	廿一	前七行	子孫揩。拭。	楷栻 汲北	修
傳卷四〇	一	前三行	<殼 汲北	有顯從弟三字	

卷	葉	行	元本	殿本	備註
傳卷四〇	一	前九行	此。歲賢子 汲北	此	疑是比字
卷		後五行	袁粲誅。瓛	誅 汲北	衲誤修〇修
卷		後六行	高帝踐祚。汲北	祚	
卷	三	前九行	呼爲青。溪焉 汲	清 北	殿誤，見南齊劉瓛傳
卷		後七行	王氏穿壁挂履土。		
卷		行	落孔氏牀上 汲	上 北	殿誤，見南齊劉瓛傳
卷	五	前三行	見而稱賞。汲	之 北	
卷	七	前七行	帝與崔思祖。書		仝誤、當作祖思、見南齊卷九
卷	五	後五行	兼吏部都。	郎 汲北	修
卷	七	後一行	政當鑿坏。以遁	坯	殿誤，見淮南子
卷		後六行	敎。海封延伯者	勃 汲北	
卷	八	前一行	與荀。伯玉對領直	脱荀字 汲北	見南齊明僧紹傳
卷	九	後九行	終其解之。毛。衣		仝誤、當作毛之，見南齊庾易傳
卷	十	前一行	安西長史袁彖。	承 汲北	齊書有傳〇袁彖見南史傳廿九〇殿誤、見南齊傳廿九
卷		行			
卷	十一	前二行	字〈介 汲	有子字 北 梁書	汲注一云字子介

卷	葉	行	元本	殿本	備註
傳卷四〇	十一	後二行	王每徒。鎮	徙 汲北	修
卷		後九行	儒。鈍殊常	懦 汲北	
卷	十二	前四行	但以當世之作歷萬。		
卷		行	古之才人		仝誤，當作方，見梁書庾肩吾傳
卷		前十行	師裴則義。絶其所		
卷		行	長 汲	蔑 北 梁書	殿是
卷		後二行	故玉暉。金銑	徽 汲北 梁書	玉徽指琴，金銑指鏡
卷		後十行	每欲論之無可與晤。汲	語 北 梁書	汲注一作語
卷		後十行	思吾。子建	言 汲北	梁書無思字
卷	十三	前一行	辨。茲清濁 汲	辯 北 梁書	
卷	十四	後一行	後仕。必當過僕	位 汲北	殿誤，見梁書劉之遴傳
卷		後四行	咸。不過也	或 汲北	殿誤，見梁書劉之遴傳
卷		後八行	後牛 空格 墮車折臂	奔 汲北	空格是奔字，不補
卷		後十行	政恐陋 空格 無枕	巷 汲北	空格是巷字，不補
卷	十五	後四行	〱載班彪事行	有又今本敘傳五	
卷		行		字 汲北	

南史　校勘記　傳四〇、傳四一　一三八頁

卷葉		行	元本	殿本	備註
傳卷四〇	十五	前後八行	雜在諸傳表中。		仝誤，當作衰，按梁書劉之遴傳作秩○表字
卷		前後行			原本實衰之殘，漏修
卷	十六	前後五行	左氏十 空格 科	無空格	
卷	十九	前後一行	其新。以行己	所 汲北	殿是，梁書○誤修荒謬○修正○梁書劉之遴傳
卷		前後行			無此二句
傳卷四一	一	前後七行	宏字正仁 汲北	無宏字	
卷		前後八行	<正德 汲北	有正義弟三字	
卷		前後八行	<正信 汲北	有正表弟三字	
卷	二	前後五行	武帝踐祚。汲北	作	
卷		前後八行	除三。迎羽儀器服	參 汲北	修
卷	四	前後一行	各齎酒。肴。以送勵	糧食 汲北	殿誤
卷		前後六行	軍賞。之外 汲	資 北	殿誤
卷		前後三行	嘗將羹 殘字 胸前翻		
卷		前後行	之 作止	至 汲北	無考○查梁書總卷數廿四蕭景傳○原本似止字，
卷		前後行			請查汲芬之本○查不出，擬不動。
卷	六	前後一行	空三格 五年	覲普通 汲北	補

卷葉	行	元本	殿本	備註
傳卷四一 六	前一行	下廷尉得免死。徙臨		
卷	行	海郡 汲北	官	殿誤、見梁書蕭景傳
卷	前二行	空格臨海	徙 汲北	補
卷	前三行	恂恂盡 空格	禮 汲北	補
卷	後一行	武帝踐祚。汲北	作	
卷	後三行	費太妃。生鄱陽忠烈		
卷	行	王悏 汲	后 北	殿誤、見梁書太祖五王傳
卷 七	後八行	乃始。贈第二兄敷 汲北	崇	
卷	後十行	遣兼太。尉散騎常		
卷	行	侍王份	大	殿誤
卷 八	前七行	運私邸 空格	米 汲北	補
卷 九	前一行	徵爲太。子中庶子	太 汲北	脩
卷	後三行	常以爵祿太。過	大 汲北	殿誤
卷 十	後九行	坐青油幕下 空格 信		
卷	行	入宴	引 汲北	補
卷	後十行	乃徑上 空格 牀	詔 汲北	補

卷	葉	行	元本	殿本	備註
傳卷四一	十二	前一行	大水一汎。孤城自殄	沉 汲北	殿誤
卷	十三	前五行	而以明爲大傅。北	太 汲	修
卷		前八行	時王琳與霸先相杭。	抗 汲北	修
卷	十四	後八行	楊。州刺史	揚 汲北	
卷	十七	前四行	好食鰿。魚頭	鯖 汲北	殿是○查鰿，鮒也（博雅）小魚也，今鯽魚（類編），魚小者鰿（爾雅）。
卷		行			
卷		行			
卷		前六行	親從子女徧游王侯		
卷		行	後宮男。免 汲	難 北	見考證○汲注一作難
卷		後六行	上意彌言。是仗	言 汲北	當是信字
卷	廿二	前二行	生二。子焉	一 汲北	
卷	廿三	前二行	後位丹楊。尹	陽 汲北	
傳卷四二	一	前四行	秀。子機	無秀字	
卷		前五行	偉。子恪	無偉字	
卷		前六行	恢。子範	無恢字	
卷		前七行	憺。子亮	無憺字	

卷	葉	行	元本	殿本	備註
傳卷四二	一	後九行	自崔惠。景亂後	慧	
卷	四	後九行	倍先置防閤。白直左		
卷		行	右職局一百人	閣	殿誤
卷	七	前二行	乃仰眠牀上看屋梁		
卷		行	而。著書	脱而字	
卷	九	後一行	愛奇翫。古	⿰習見	殿誤
卷		後十行	爲丹楊。尹	陽	
卷	十一	後九行	年十二。汲	一 北	殿誤、按十一能屬文已見上文
卷	十二	前五行	夜必再巡。汲	百 北	殿誤
卷	十三	前一行	求救 空格 武陵王	於 汲北	補
卷		前八行	以文 空格 千家	武 汲北	補
卷		前九行	不絶於道之夕	至 汲北	補
卷		前十行	望 悲不自勝	閣 北 汲作隂	補閣
卷		後一行	頻 兵荒	遇 汲北	補
卷		後二行	人户。凋弊 汲	口 北	
卷		後二行	三千餘家 帝多忌	元 汲北	補

卷	葉	行	元本	殿本	備註
傳卷四二	十三	後九行	便偏。發人丁 汲	偏 北	殿誤
卷		後十行	及空格景至	侯 汲北	補
卷		前三行	與南平主。偉留守	王 汲北	脩
卷	十四	前十行	甘露降于黃閤。	閤	
卷		後七行	驚。走空格屋緣樹	登 汲北	補
卷	十五	前三行注	徒。我反 汲	徙	殿誤，按廣韻作屠可切，梁書作徒可反○北模糊
卷		後二行	即開府黃閤。	閤	
卷	十六	前七行	挺。又行部伍中	又 汲北	脩
卷	十七	前二行	遠遵前軌。	軌 汲北	脩
傳卷四三	二	前一行	命僕〻劉孝綽議		
卷		行	其事	行射字 汲北	按孝綽時爲太子僕，見梁書劉孝綽傳○此太子僕何得加射字，下文有劉僕云云
卷		行			
卷	四	後九行	亦不全熟唯信。義。去		全誤，當从梁書作義興，見梁書昭明太子傳○昭明太子傳亦誤○信義郡是梁置，見隋志吳
卷		行	秋有稔		
卷		行			
卷		後九行	即。日東境 汲	今 北	殿誤，見梁書昭明太子傳

卷	葉	行	元本	殿本	備註
傳卷四三	四	後十行	在。所。有司 汲	所在 北 後漢書	按在所蠲其徭役，見張進之傳○梁書亦作在所
卷		行			
卷	五	後七行	又見後閣。小兒攤戲	閣	殿誤
卷	六	前七行	受拜空格日不食	果 汲北	補
卷		後六行	臨丹楊。郡	陽 汲北	
卷	七	前一行	於空二格殿解髮臨哭	崇正 汲北	補
卷		前五行	空格還徐方之象也	復 汲北	補
卷		前六行	謚空格王	安 汲北	補
卷		前七行	景空格以爲主	奉 汲北	補
卷		後一行	太妃。王氏爲皇太后 汲	后 北	殿誤，見梁書侯景傳
卷		後二行	封准。陰王	淮 汲北	修
卷		後五行	帝空格六門之内	曰 汲北	補
卷		後七行	別敕宣空格將軍	猛 汲北	補
卷		後十行	空格州刺史	湘 汲北	補
卷	八	前一行	臺城没空二格班師	有詔 汲北	補
卷		前七行	逆擊下。利	不 汲北	修

卷	葉	行	元本	殿本	備註
傳卷四三	八	前後四行	兩手據地噉其齊。	臍 汲北	殿誤，按梁書河東王譽傳作瞰其齋，疑此處噉乃瞰之訛○按兩手既據地則不復可噉臍，且齊臍通用，見左傳○原批修，誤修
卷		前後行			
卷		前後行			
卷	九	前後十行	空格俗說以生者血	聞 汲北	補
卷	十	前四後行	出至中閤。	閣	殿誤
卷		前後八行	齋內諸閤。	閣	殿誤
卷	九	前後十行	瀝死骨	者 汲北	補
卷	十	前五後行	居都下所〻多如此		
卷		前後行	者	有爲字	
卷		前後十行	不得還者甚衆 空二格		
卷		前後行	益陽人	湘州 汲北	補
卷	十一	前四後行	綜長史江華。	華	殿誤，見梁書傳三十
卷		前五後行	位侍中司空高平公		
卷		前後行	丹陽。王	陽 汲北	
卷		前九後行	俄遇鴆。而卒	鳩	殿誤
卷		前九後行	蕭寶夤。據長安反	寅	

卷	葉	行	元本	殿本	備註
傳卷四三	十四	前一行	常。無愧古人	當 汲北	誤修○修
卷	十五	前二行	荆州人迎于我境。	我 汲北	疑有脫誤
卷		前六行	此之謂多安可加也。	知	殿誤
卷		前九行	此可食不。	否	
卷	十六	前四行	擬與左右職局防閤。		
卷		行	爲絳衫	閣	殿誤
卷		前七行	於路尋目。智通 汲	何 北	
卷		後二行	設醯蒜。	蒜 汲北	
卷	十七	後九行	況天時地利不及人		
卷		行	乎。	和	殿是
卷	十八	前三行	田龍祖。	祖 汲北	修
卷	二十	前二行	復徙封永安。	福	殿誤，見梁書邵陵王綸傳
卷		後五行	確出。城已陷矣 汲	曰 北	殿是，上文入啓可證
卷		後六行	猶可一戰不。	否	
卷		後九行	仰見飛鵄。 汲	鳶 北	
卷	廿二	前四行	圓普〻譙王 汲	有南字 北	殿是，梁書武陵王紀傳

卷	葉	行	元本	殿本	備註
傳卷四三	廿三	後八行	羯胡叛換。	換 仝上 汲北	
卷	廿六	後五行	早沒。爲幸	卒	
卷		後六行	人道頓亡。汲	忘 北	殿誤
傳卷四四	一	前七行	武寧王大盛。汲	威 北	汲注一作威○殿是，梁書傳文
卷		後八行	兼神用端嶷。汲	凝 北	殿誤，見梁書哀太子傳
卷	五	前三行	被。甲夜出 汲	披 北	
卷		後七行	位丹楊。尹	陽 汲北	
卷		後九行	二年爲丹楊。尹	陽 汲北	
卷	六	前四行	諱。身代 汲	行 北	
卷		後六行	徐妃生忠烈。世子		
卷		行	方等 汲	壯 北	殿是，梁書
卷		後七行	表貴人生愍懷大子。		
卷		行	方矩	太 汲北	殿是
卷		後九行	忠烈。世子 汲	壯 北	
卷	七	前一行	足以怡 空格 生在蒿蓬	形 汲北	補
卷		後六行	膀于大閤。	閣	

卷葉		行	元本	殿本	備註
傳卷四四	七	後八行	元帝謂曰空格有水		
卷		行	厄	汝 汲北	補
卷		後十行	及至麻溪軍空格溺		
卷		行	死	敗 汲北	補
卷		後十行	求。屍。不。得。元帝聞		
卷		行	之 汲	方等之死 北	殿誤，下文招魂以葬可證
卷	九	後三行	益鐘。愛 北	鐘 汲	修
卷		後八行	蓋時運之所鐘。乎 北	鐘 汲	修
傳卷四五	二	後二行	燒神獸。門 汲	虎 北	
卷		後七行	丹楊。尹	陽 汲北	
卷	三	後三行	景宗帶百余。箭	餘	按余餘古通，見周禮地官
卷	四	前七行	掎。角破王珍国於大		
卷		行	航 北	犄 汲	殿誤，見左傳
卷		後六行	魏中山王英攻鐘。		
卷		行	離 汲北	鍾	
卷		後九行	此所以破〻也 汲	有賊字 北 梁書	殿是

卷	葉	行	元本	殿本	備註
傳卷四五	六	前一行	自踐祚。以來 汲北	作	
卷		前二行	魏軍攻圍鐘。離 汲北	鍾	
卷		前四行	景帝。振旅凱入 汲	宗 北	修
卷		後六行	拓弓弦作礕。礰。聲 汲	霹靂 北	同見張衡西京賦
卷	七	前六行	其弟。九弟 汲	第 北	按弟第通見說文
卷		前六行	九弟義。宗 汲	羲 北	殿誤，下文屢見
卷	九	後二行	河間王深。汲	琛 北	修
卷	十	前八行	並無被服安。容 汲	姿 北 梁書	汲注一作姿○按安容與被服並稱，當是粧飾品之名，姿容未必便是。
卷		行			
卷		前九行	封豐城縣公。汲	侯 北	殿誤，見梁書夏侯亶傳
卷		後七行	元顯。達降 汲	願 北	殿誤，見梁書傳卅三
卷	十一	前八行	頓兵士。林館 汲北	上	殿誤，按侯景傳有燒城西馬廐士林館之語
卷		後三行	村。里人庶盡	村 汲北	修木旁
卷		後四行	捿。弱草	棲 汲北	修木旁
卷	十三	後七行	入爲直閤。將軍	閣	殿誤
卷	十四	後八行	號令。嚴明 汲北	命	殿誤

卷	葉	行	元本	殿本	備註
傳卷四五	十五	前三行	多是湘人。溪。汲	溪人 北	殿是、梁書
卷		前十行	户口克復。汲	克 北	殿誤、見梁書楊公則傳
卷	十七	前一行	黔婁甚清絜。汲	潔 北	
卷		前九行	若寇賊浸淫，汲	侵 北	殿誤、見司馬相如文
卷	十八	前三行	齊苟兄。之役	兒 汲北	修
卷		前三行	樂禍會。亂	貪 汲北	修
卷		前五行	束縛。之 北	縛 汲	修
卷		後二行	以爲主簿。	簿 汲北	修
卷		後五行	乃以爲益州別駕者。		
卷		行	益州記三卷	著	殿是
卷		後六行	拔。元起爲從事	板 汲北	修
卷	十九	前七行	武帝踐祚 汲北	阼	
卷		前八行	夜燒神獸。門 汲	虎 北	
卷	二十	前一行	不如悉悉船於鄴城	有棄字 汲北 梁書	
卷		後八行	明主自鑒功夫。多		
卷		行	少 汲	之 北 梁書	

卷	葉	行	元本	殿本	備註
傳卷四五	廿三	後六行	謚曰壯。 汲	莊 北	殿誤，見梁書康絢傳
卷	廿四	前四行	乘勢追攝。	躡 汲北	修
卷		後一行	帝遣太子ナ。衛率		
卷		行	康絢督衆軍作荆		
卷		行	山堰	右 汲北 梁書	已修左○按康絢傳作左梁書昌義之傳及康絢傳並作右，似應不修傳疑○本傳是左○原批修、誤修
卷		行			
卷		行			
卷	廿五	前二行	元起勤乃胥附功。		
卷		行	惟闢土 汲	切 北	殿誤
傳卷四六	四	後五行	文集五。卷 汲	三 北	殿誤，見梁書張緬傳
卷	七	前十行	乃斅。船沉米斬纜		
卷		行	而歸 汲	覆 北	殿誤，按斅同鑿
卷	八	前四行	見空格則申旦達夕	余 汲北	補
卷		前七行	珍寶財。物悉付庫 汲	貨 北	
卷		前八行	以粽蜜。之屬還其		
卷		行	家 汲	密 北	殿誤，見考證

南史　校勘記　傳四六、傳四七　一五一頁

卷	葉	行	元本	殿本	殿本備註
傳卷四六	八	後六行	兄弟並導騶分趨。		
卷		前後行	兩塗 汲北	騶	殿誤，見梁書張緬傳
卷	九	後六行	非所以揔。率侯伯	總 汲北	修揔
卷	十	前二行	將士皆齕草供。食。汲	食土 北	按土不可食，齧草以為食耳○殿誤
卷	十三	後三行	深自努。力 汲北	弩	殿誤
卷	十四	前一行	委以心旅。汲	膂 北	旅通呂，膂亦通呂○殿是，見書君牙
卷	十六	後八行	忽於庫失油。絡 汲	火 北	殿誤，見梁書樂藹傳
卷		後九行	以爲積油萬。石 汲	久灰 北	按梁書樂藹傳作萬四
卷	十七	前十行	棲。心物表	棲 汲北	修木旁
卷		後七行	或忠誠亮盡。汲北	蓋	殿誤，見梁書傳五史臣論
傳卷四七	一	後五行	烏程縣之餘。不。鄉 汲北	全元本	前校見某卷餘不足差山，殿本「不」作「于」，以此證之，餘下「不」訛。
卷		前後行			
卷		後七行	吳孫晧。寶鼎二年 汲	晧 北	
卷		後九行	位。零陵太守 汲	任 北	殿誤
卷	二	前六行	二。年禮畢	三 汲北	上文「父亡居喪」○修
卷	三	後七行	十一。年從討司馬休之	脫一字 汲北	宋書傳一百自序「十一年」○見宋書傳六十自序

卷	葉	行	元本	殿本	備註
傳卷四七 卷	四	後七行	長史王脩收殺田子		
卷		行	於長安豪°倉門外	豪 北	殿誤，見宋書傳六十自序〇汲作橐
卷	五	前二行	沈°伏山澤 汲北	沉	
卷		前十行	及帝爲楊州	揚 汲北	
卷		前十行	五等侯°	侯 汲北	修
卷		後一行	參大°尉軍事	太 汲北	修
卷		後二行	司馬林°之	休 汲北	修
卷		後二行	林子輒推°鋒居前 北	摧 汲 宋書	見考證〇監本作推
卷		後三行	武陵太守三°鎮惡	王 汲北	修
卷		後四行	討魯軏°於石城	軏 汲北	當作軌見宋書自序及魯爽傳〇宋書列傳三十四魯爽傳，殿本作軌
卷		行			
卷		後五行	軏°棄象走	軏 汲北	
卷		後七行	河東大°守	太 汲北	修
卷		後八行	同攻蒲坡°	坂 汲北	修
卷	六	後六行	志節沈°勇	沉 汲	北沈
卷	七	後一行	戒慎祇°肅 汲北	祇	殿誤

卷	葉	行	元本	殿本	備註
傳卷四七	七	後五行	帝踐。祚。 汲北	阼	
卷	八	後四行	宜善師。之 汲	事 北 梁書	修
卷	九	前一行	陳郡謝朓。	朓 汲北	
卷		前五行	南清。河。太守	河清 汲北	殿誤，見梁書沈約傳
卷	十	後一行	起爲鎮軍將軍丹		
卷		行	楊。尹	陽 汲北	
卷		後十行	遷中軍將軍丹楊。		
卷		行	尹	陽 汲北	
卷	十一	前五行	殘 悉舊章	該 汲北	修
卷		後一行	出。作邊州刺史 汲北	則	殿誤，見梁書沈約傳
卷		後九行	因上省醫 殘二字以		
卷		行	聞	徐奘 汲北	修
卷		後十行	中使譴。責者數焉 汲	遣 北	殿誤，見梁書沈約傳
卷		後十行	遂。卒 殘 司謚曰文	有 汲北	補
卷	十二	前四行	條。流。雖舉 汲北	仝上	宋書自序仝
卷		後六行	衆字仲興。 汲	師 北 陳書	見考證，一本作興

卷	葉	行	元本	殿本	備註
傳卷四七	十三	前後 六行	起家郢州西曹書。		
卷		前後 行	佐。 汲北	佐書	殿誤，見梁書范雲傳
卷		前後 八行	雲〻貌不變徐自	有容字 梁書	北嵌補，汲脱雲字
卷		前後 行	陳説		
卷	十四	前後 九行	王爲丹楊。尹	陽 汲北	
卷	十六	前後 五行	罷亭。候 北汲		考證監本訛停，今不訛
卷		前後 行			
卷		前後 二行	又甞與梁武同宿顧		
卷		前後 行	暠。之舍 汲	嵩 北	
卷		前後 二行	暠。之妻方産 汲	嵩 北	
卷		前後 八行	侍中張稷。 汲 梁書	穋 北	殿誤，見梁書傳十〇張穋傳亦載此事
卷	十七	前後 四行	齊祚不久別應有		
卷		前後 行	王。者 汲北	主	殿誤
卷		前後 四行	朕齋。中坐讀書 汲	齋 北	按齋古作齋，見正韻
卷	十八	前後 一行	先。諮。而後行 汲北		考證監本訛(元)詔，今不訛
卷		前後 三行	雲以東箱。給之 汲	廂 北	按箱廂通，見儀禮

卷	葉	行	元本	殿本	備註
傳卷四七	十八	前七行	虢廉絜。	潔 汲北	
卷		後四行	交游。不雜。 汲		考證監本脫不雜二字、今不脫○北脫
卷		後十行	不爲士友所 殘	安 汲北	補
卷	十九	前三行	蕭琛。	琛 汲北	修
卷		後四行	未聞刀汲。而利存	没 北汲	修○汲没注一作汲
卷		後七行	知其祖。先。神靈所		
卷		行	在 汲	先祖 北	
卷		後七行	其險。諸皆此類也	詣 汲北	修○十八葉後十行、簡詣
卷		後十行	已至今。僕矣 汲	令 北	修
傳卷四八	一	後五行	石。軍將軍	右 汲北	修
卷		後十行	帝見叡 空格 悅	甚 汲北	補
卷	三	前八行	且願兩武。勿復私		
卷		行	闞 汲	虎 北	
卷		後九行	鑿穴。 北	穴 汲	修穴
卷	四	前八行	失。貫大眼右臂	矢 汲北	修
卷		前八行	叡。	叡 汲北	修

卷	葉	行	元本	殿本	備註
傳卷四八	四	前十行	叡○	叡 汲北	修
卷		後一行	叡○	叡 汲北	修
卷	五	前一行	以功殘爵爲侯	進 汲北	補
卷		前六行	爲丹楊○尹	陽 汲北	
卷	七	前六行	放常贈○邮之	贍 北	汲訛瞻
卷		前八行	子粲○	粲 汲北	次行粲○修
卷		後三行	任寄綢○密 汲	稠 北	按綢稠通，見詩經小雅
卷		後七行	問所由○那不見辨長		
卷		行	梯 汲北	仝上	
卷	八	前七行	弟八弟助弟九弟		
卷		行	驚○	警 汲北	修○九葉後五行，及三弟助警構
卷	九	前二行	以阻太計○	大 汲北	修
卷	十一	後三行	○迋尉卿	廷 汲北	修
卷	十二	前九行	州中有土豪	州 汲北	修正
卷		前九行	而內行不軌○ 汲	軌 北	殿是，見左傳
卷	十三	前八行	齊東昏，踐祚○ 汲北	阼	

卷	葉	行	元本	殿本	備註
傳卷四八	十三	後八行	立功邉郵。	垂	修陲
卷	十四	後三行	令直閤。將軍李祖		
卷		行	憐僞遁	閣 汲北	
卷		後四行	以引承業〻等悉		
卷		行	象追之 汲	疊承業二字	梁書承業作稚，亦疊用稚，承業名也〇北承業二字與悉家二字並無
卷		行			
卷		後十行	美蓉。儀 汲北容	儀容	修容
卷	十五	前六行	北。徐州刺史 汲	比 北	殿誤
卷		後二行	仍除穎。州刺史 汲	潁 北	
卷		後七行	俱會殘塘 汲	青 北	補
卷		後九行	時之高第六弟之		
卷		行	悌在侯景殘一字或		
卷		行	殘一字之悌	中傳 汲北	中字不通、不動〇修傳〇在侯景中，意是在侯景軍中，此已第二見，前曾見過，同樣句法，不記何書〇按在侯景中見傳五八蔡景歷傳
卷		行			
卷		後十行	之殘竟無言	高 汲北	修
傳卷四九	一	後八行	三五。賤伎之末		考證閣 本注一作三

卷	葉	行	元本	殿本	備註
傳卷四九	二	前七行	丹。冊	丹 汲北	
卷		後六行	莫不霈仁沐義照。		
卷		前後行	醴(景欽)而已下官抱		
卷		前後行	痛圓門 汲北	昭	殿誤，見梁書江淹傳，按梁書無已字。
卷	四	前二行	卿年三。十五已爲中		
卷		前後行	書侍郎 汲	二 北	殿誤，按淹以天監四年卒，年六十二，爲中書侍郎在齊建元初，時淹年三十餘矣。
卷		前後行			
卷		前後行			
卷	五	前十行	又嘗宿於治。亭 汲北	冶	
卷		後三行	并齊史十。志 汲 梁書	傳 北	殿誤，見南齊書目録叙
卷	六	前七行	衛將軍王儉領丹		
卷		前後行	楊。尹	陽	
卷	七	前四行	昉尤長爲。筆 汲	載 北 梁書	
卷		前六行	中書郎。 北		考證閣本誤令 ○汲令
卷		後四行	蓋爲。此也	謂 汲北	
卷		後七行	武帝、踐祚。 汲北	阼	

南史　校勘記　傳四九　一五九頁

卷	葉	行	元本	殿本	備註
傳卷四九	七	後八行	出爲義。興太守 梁書 汲	宜 北	殿誤、見梁書任昉傳
卷	八	前四行	篇卷紛。雜 汲	分 北	殿誤、見梁書任昉傳
卷		前五行	由是第。目定焉 汲	篇 梁書 北	按第目謂次第之目、承上紛雜言、似此篇目爲優。
卷		行			
卷		前七行	卒於宮。	官 汲北	修
卷		後四行	尤以清絜。著名	潔 汲北	
卷		後十行	指南何。託	誰 汲北 梁書	
卷	九	前九行	行可以厲風俗。	俗 汲北	修
卷	九	後二行	西華冬月著葛帔		
卷		行	練。裙	練 汲北	殿誤〇宋書練音蔬、練葛給屬。
卷		後五行	草蟲鳴。	虫鳴 北	汲蟲鳴
卷	十	後五行	望影是。奔	星 汲北	修
卷	十一	前四行	叙。寒、燠則寒、谷、成暄 汲	温 梁書 北	
卷		後六行	南。荆。之、跋扈東陵		
卷		行	之巨猾 汲	荆南 北	殿誤、見梁書任昉傳
卷		後七行	舐。痔 北	舐 汲	修

卷	葉	行	元本	殿本	備註
傳卷四九	十二	前四行	何所視。之晩乎 汲	見 北 梁書	
卷		後二行	於是冠蓋輻湊。汲	湊 北	殿誤，見班固東都賦
卷		後三行	至於顧眄。增其倍		
卷		前後行	價 北	盼 梁書	殿誤○汲眄○修眄
卷	十三	前二行	抵几。於地 汲	之 北	
卷		前五行	東海郯人也。		考證監本脱也字，今不脱修
卷		前十行	不客。先嘗	容 汲北	
卷		後二行	晏爲丹楊。尹	陽 汲北	
卷		後四行	丘令揩。汲	楷 北	十六葉後三、五行又見、作揩○朱批修，已修○誤修
卷		前後行			
卷		後三行	太學生虞羲。	羲 汲北	
卷		後五行	高平徐盦。	盦 汲北	修○十六葉後八行盦
卷		後五行	文慧。太子 汲北	惠	錢氏考異慧惠通用
卷	十四	前三行	嘉爾晨登。	澄	梁書王僧孺傳作燈○殿誤，按凤皇朝鳴曰登晨，見軒轅皇帝紀
卷		前後行			
卷		前十行	起居注中表簿。梁書		考證一本薄

卷	葉	行	元本	殿本	備註
傳卷四九	十四	後八行	友人盧江河炯。	何炯	炯殿誤，見梁書四十一〇汲何炯〇修何
卷		前後行			
卷	十五	前五行	轉北中郎諮議参		
卷		前後行	軍。汲	車 北	殿誤
傳卷五〇	二	前九行	淡事。宋竟陵王誕 汲		考證監本仕〇北仕
卷		後六行	薦昭於丹楊。尹袁粲	陽 汲北	
卷	三	前二行	南陽宗史。汲	夬 北	按梁書傳十三作史〇未批修，已修〇誤修
卷		後五行	郡有蜜。巖 汲北		考證監本脫蜜字〇蜜巖見任昉傳
卷		後七行	餉栗。北		栗一本粟〇汲注一本栗
卷		後七行	置絹於薄。下 汲	簿 北	殿誤，見梁書傳昭傳
卷	五	前三行	雲駐筯。北汲	筋	殿誤
卷		前四行	正。有赤倉米飯 汲	止 北	
卷		後四行	撰禮疑義。汲北		考證監本脫義字
卷		後五行	咸預編録。汲北		考證監本脫録字
卷		後六行	田。避 汲	迴 北	
卷	六	後七行	武帝深委杖。之 汲	仗 北	按杖仗通見前漢李尋傳

卷	葉	行	元本	殿本	備註
傳卷五〇	七	前九行	王融與諧之。今薦 書		
卷		前後行	華 汲	令 北	修
卷	八	前五行	面諫。華墮事好酒 汲	陳	殿是○北補版○字書二字不云通
卷		後五行	延明將加箠扑。	朴 北汲	殿誤，按梁書江革傳作撲○扑作敎刑，書舜典。
卷		後八行	魏帝請。中山王 汲		考證監本誤討，从魏書改今不誤○北討
卷		後九行	卿 殘 不畏延明害	那 汲北	修
卷	九	前四行	豈得。底突 汲	可 北	殿誤，見梁書江革傳○梁書誤
卷		後九行	我得江革文。得華		見考證，按梁書江革傳作我得江革文華清麗○一本作文○後一行王因此耽學好文，此當以文爲是
卷		前後行	清貧 汲	又 北	
卷		前後行			
卷		前後行			
卷	十一	後五行	羣犬。驚吠 北汲	大	殿誤
卷	十二	後六行	傷情戚理 汲	滅 北	殿誤，按梁書徐勉傳作戚
卷	十三	前三行	焚藁。草	藁 汲	殿誤，按藁當作槀，見史記屈原傳○北空格
卷		前八行	即宗伯所掌曲。禮 汲	典 北	殿誤，見周禮太宗伯注，按梁書徐勉傳作典○未批修，已修○誤修
卷		前後行			

卷	葉	行	元本	殿本	備註
傳卷五〇	十四	前四行	丹楊。尹 汲	陽 北	脩楊
卷		前十行	又踰太半。北	大 汲	
卷	十五	前二行	諮稟衛將軍丹楊。		汲訛揚。○（整理者）按，原校勘記內容如上，今查二十五葉前二行作「更使鎮軍將軍丹楊尹沈約」，與校勘記文字不同。
卷		前行	尹王儉	陽 北	
卷		後一行	五月一。十日上尚書	二 汲北	脩
卷		後八行	又列副秘閣。汲	閤 北	殿誤
卷		前九行	始獲洗畢。北汲	完	殿誤，按梁書徐勉傳作洗
卷	二十	後六行	與吳興沈炯。對掌		
卷		前行	書記 汲	炯 北	殿誤，見陳書許亨傳
卷	廿一	前一行	凡七樞。北汲		考證監本訛樞，今不訛
卷		後六行	校定秘閣。四部書 北汲	閤	殿誤
卷	廿三	前三行	所言誚責 汲	和 北	殿是，梁書殷鈞傳。
傳卷五一	一	後三行	子武。牙爲徐州刺		
卷		後行	史 汲	虎 北	
卷	二	前十行	伯之子武。牙 汲	虎 北	
卷		前十行	親付武。牙 汲	虎 北	

卷	葉	行	元本	殿本	備註
傳卷五一	二	前十行	武。牙封示伯之 汲	虎 北	
卷	三	前七行	伯之遣使還報、武。牙		
卷		行	兄弟、武。牙等 汲	虎虎	
卷		前七行	走盱台。盱台。人徐		
卷		行	文安 汲北	胎胎	
卷		前九行	與子武。牙及褚緭		
卷		行	俱入魏 汲	虎 北	
卷		後九行	張繡傳。刃於愛子 汲	剚	殿誤，見史記張耳陳餘傳 ○北訛手
卷	四	後五行	掘。强沙塞之間 汲	崛 北	按掘崛通見揚雄甘泉賦
卷		後六行	方弔人。洛汭 汲	民 北	
卷		後八行	武。牙爲魏人所殺 汲	虎 北	
卷		後十行	褚緭。在魏 汲北	緭	殿誤、見三葉前八行
卷	五	後五行	隷領軍曾。曹仲宗		
卷		行	伐渦陽 汲	無曾字 北	殿是，見梁書陳慶之傳
卷		後十行	攄濡。陽城 汲	渦 北	殿是，見梁書陳慶之傳
卷		後十行	師老空格衰	氣 汲北	補

南史

卷	葉	行	元本	殿本	備註
傳卷五一	六	前一行	恐腹背受敵謀 空格	退 汲北	補
卷		後八行	義興魚天。愍 汲	大 北	殿誤，見梁書陳慶之傳
卷	七	後八行	挾魏帝來。攻顥 汲	夾	殿誤，見梁書陳慶之傳○北板攅
卷	八	前九行	揚州刺史是。玄寶		全誤，當作云，見梁書陳慶之傳
卷		後一行	傳水〱轉運 汲	有陸字 北 梁書	
卷		後七行	而 空格 撫軍士	善 汲北	補
卷		後八行	空格 者唯慶之與俞		
卷		後前行	藥	達 汲北	補
卷		後八行	空格 俞藥	與 汲北	補
卷		後九行	俞 空格 非君子所宜	錢 汲北	補
卷		前十行	歷位雲旗 空二格	將軍 汲北	補○旗疑誤
卷	九	前七行	乃拔。昕爲雲騎將		
卷		後前行	軍 汲	板 北	修
卷		後十行	汝欲夭。吾所志邪 汲	笑 北	殿誤，按夭挫折也，見莊子
卷	十一	後四行	語言下。節	不 汲北	修
卷		後七行	未及述。職 汲	赴 北 梁書	殿誤，六朝時謂就任爲述職，見王氏商確○王氏

校勘記 傳五一 一六五頁

卷葉		行	元本	殿本	備註
傳卷五一		前後行			
卷		前後行			
卷	十一	後十行	仍令述。職 汲	赴 北	商確六十四卷○謙將述職見傳六十孫謙傳○傳四十六張瓚傳「述職經塗」殿誤，見梁書蘭欽傳○按改授官職應先陛見，「仍令述職」下云經廣州，至衡州則均亦述職之路，由而爲赴任之路矣。
卷		前後行			
卷		前後行			
傳卷五二	一	前八行	士。塊加其心上	土 汲北	修
卷		後八行	二字。華季	子 汲北	修
卷	二	前二行	徧脩。孝經論語毛		
卷		前後行	詩左傳 汲	治 北	殿誤，按唐時治字避諱
卷	三	前八行	兼中書通 殘 舍人	事 汲北	補
卷	五	前一行	記不得 殘 云下殤	直 汲北	補
卷		前四行	買王。第爲宅	主 汲北	修
卷		前八行	任職者緣飾姦。謟 汲	奸 北	梁書賀琛傳亦作姦
卷		後七行	長槊增姦。	奸	梁書賀琛傳亦作姦
卷	七	後五行	問訊。	訊 汲北	
卷		後八行	吳郡錢唐。人也 汲北	塘	按南齊書州郡志上作唐

卷	葉	行	元本	殿本	備註
傳卷五二	八	前二行	申靈勗。	勗 汲北	
卷		前五行	此皆是義事不可		
卷		行	闐。汲	問 北	殿是
卷		前五行	兄殉。於義 汲	狥 北	按殉狥通
卷	九	前一行	使説孝經周易義		
卷		行	殘悦之	甚 汲北	補
卷	十	前一行	晚日。來下 汲	朝 北	見考證一本日
卷		前三行	子鷄魚鰡。北		考證鰡音蘇，一本作䱇，䱇恐非佳品，疑有誤〇汲鱐
卷		行			
卷		前四行	輕憿。朝賢 北	傲 汲	
卷		後六行	無一傷鈇。	鈌 北	修鈌〇汲鈌
卷		後八行	今侯景分魏國太。		
卷		行	半 北	大 汲	殿誤
卷		後十行	今勿。作晉家事乎 汲	乃 北	殿誤，見梁書侯景傳
卷		後十行	尋而貞 空格 自魏	陽 汲北	補
卷	十一	後九行	慜彼阪。田 汲北		考證南本阪

卷	葉	行	元本	殿本	備註
傳卷五二	十一	後十行	排王。殿	王 汲北	修○對金扉
卷	十二	前二行	豺狼。 汲	狼 北	
卷	十三	前三行	咸謂精誠。所致	誠 汲北	修
卷		後三行	爲士子所模糊歎	嗟 汲北	修
卷	十四	前十行	王揔戎比。侵 汲	北 北	修
卷	十五	前二行	引春秋義至。丁丑		
卷		行	夫人姜氏至 汲	云 北 梁書	殿是
卷		前三行	宜依舊觀。 汲	貫 北 梁書	殿是○作依舊列觀亦可
卷		後二行	簡文被<閉 汲北		考證梁書有幽字
卷	十七	前一行	陵以梁末。以來	末 北	陳書卷廿六徐陵傳「梁末」○修○汲宋
卷		前一行	撰。授多失其所 汲	選 北 陳書	殿是
卷		前八行	此。是天子所授 汲	比 北	殿誤、見陳書徐陵傳
卷		後一行	既尒。衡流諸賢 汲北	忝	見考證、監本訛尒○陳書「既忝衡流應須粉墨」
卷		後四行	抗表推周弘正王勵。		
卷		行	等 汲	勱 北 陳書	
卷		後五行	弘正舊蕃。長史王		

卷	葉	行	元本	殿本	備註
傳卷五二	十七	後五行	勵。太平中相府長		
卷		行	史 汲	藩勱 北	考證陳書脱中字，按太平梁敬帝年號○殿勱是，陳書、梁書
卷		行			
卷		後五行	張種帝御。賢戚 汲	鄉 北	修
卷	十八	後四行	未嘗詆訶〻者 汲	有作字 陳書	北作詆訶二字並列
卷		後九行	儉一名報。汲北		考證陳書作象
卷		後九行	汝南周弘直。重其		
卷		行	爲人 汲北		考證陳書作正
卷	十九	後六行	隱于錢唐。之赭山 汲	塘 北	
卷		後七行	大業四空格卒	年 汲北	補
卷		後八行	〻所生母陳氏盡就		
卷		行	養之道 汲	有事字 陳書	北嵌補
卷	二十	前一行	嫁卿與當世人望彼		
卷		行	此俱濟 汲北	仝上	考證陳書當世作富
卷		前八行	居錢唐。之佳義里 汲	塘 北	
卷	廿一	前十行	臨終政。念佛 汲	正坐 陳書	北正坐並列

卷	葉	行	元本	殿本	備註
傳卷五二	廿一	前後二行	父幾 汲北		考證梁書機
卷	廿二	前後八行	還疑疑。木。	木偶 汲北	修
卷	廿三	前後四行	撰新儀三。十卷 汲北	仝	考證三梁書作四
卷		前後七行	及拜步兵而。謝帝		
卷		前後行	曰 汲	面 北	修
卷		前後一行	獻書告退殘恨之	王 汲北	補
卷		前後八行	寔。异之由 北	實 汲	
卷	廿四	前後一行	締構。興王	搆 汲北	
傳卷五三	一	前後十行	謚曰壯。汲	莊 北	殿誤，見梁書王神念傳
卷	三	前後五行	景軍內。薄苦攻 汲	肉 北 梁書	
卷	四	前後二行	男女裸露。袒衣不		
卷		前後行	免	袒 汲北 梁書	修袒
卷	六	前後七行	僧辯次姑熟。即留鎮		
卷		前後行	馬。	孰 焉 北	修焉〇汲孰焉
卷		前後十行	承刷。進驃騎大将軍	制 汲北	修
卷		前後十行	郡。督	都 汲北	修

卷	葉	行	元本	殿本	備註
傳卷五三	七	前一行	都督く外諸軍事	有中字 汲北	殿是，梁書
卷		前十行	領太子太傅揚。州		
卷		前 後 行	牧 汲	揚 北	
卷		前十行	因遣記室參軍江旰。	盱 汲北	殿誤，見北齊文苑傳○批修，誤修
卷	八	前一行	留旰。城中	盱 汲北	殿誤○批修，誤修
卷		前三行	但謂江旰。徽兵扞北	盱 汲北	殿誤○批修，誤修
卷		後二行	征蕭敎。	勑 汲北	按敕勑仝，見前漢書司馬相如傳
卷		後五行	未欲身。膏野草 汲	自 北	身是
卷		後十行	元帝以爲 空格 州刺		
卷		前 後 行	史	羅 汲北	
卷	九	前五行	帝遣江旰。說之嗣徽		
卷		前 後 行	執旰。送鄴	盱 盱同 汲北○元本亦	殿誤○未批修，誤修
卷		前六行	齊文宣帝 空格 爲儀		
卷		前 後 行	同	授 汲北	補
卷		後五行	隸蕭寅。 汲	寅 北	按梁書羊侃傳作寅
卷		後十行	司徒太。山郡公長爲		

卷	葉	行	元本	殿本	備註
傳卷五三	九	前十行	兗州刺史 汲	泰 北	殿誤○見梁書羊侃傳
卷	十一	前六行	帝尸。侃討景之策	問 汲北	補
卷		前六行	急據採。石 汲	采 北	
卷	十四	前十行	從王僧愔征蕭敎。於		
卷		行	嶺表 汲	勃 北	
傳卷五四	一	前四行注	弟。岸 汲北	兄	殿是，見傳文○據本傳岸兄也
卷		前四行注	々幼安 汲北		殿是，見傳文
卷		前六行	字元亮。汲北	有弟字	考證梁書貞○疑避唐諱改
卷		後四行	子四自右丞上封々		
卷		行	極言得失 汲	有事字 北對事○梁書	
卷		後六行	沈炯。汲	烱 北	殿誤，見梁書江子一傳
卷		後七行	子四乃取前代炯。等		
卷		行	對 汲	烱 北	殿誤，見梁書江子一傳
卷		後八行	帝怒亦歇。汲北	仝 考證一本上	梁書殆
卷	二	前四行	子一引矟橦。之 汲	撞 北	殿是
卷		後三行	以大通三。年避爾朱		

卷葉	行	元本	殿本	備註
傳卷五四	前後行	氏之難 汲北	三	考證梁書二
卷二	後九行	僧祐殘字忤旨	空格	汲北諱〇未挑修、修諱
卷	後十行	乃引僧殘二字獄	祐於 北	汲祐于〇修
卷三	前四行	厚自封植。汲	殖 北	殿是、見左傳
卷	後九行	遂密。通信使 汲	私 北	殿誤、見梁書徐文盛傳
卷	前後行			〇考證閣本密
卷四	前五行	何處。得降 汲北	仝上	考證梁書遷
卷	後一行	及帝踐祚。汲北	阼	
卷六	前五行	太清三。年隨岳陽王		
卷	前後行	來襲荆州 汲北	仝上	考證梁書誤二、見梁書
卷	前後行			紀五〇元帝紀
卷七	前八行	及衆軍至姑孰。汲	孰 北	
卷八	前十行	元帝居蕃。汲	藩 北	
卷	後二行	大。清二年 汲	太 北	修
卷	後八行	身輕。上江陵陳謝 汲	徑 北	殿是、見北齊王琳傳
卷十	前六行	野豬。汲	猪 北	

卷	葉	行	元本	殿本	備註
傳卷五四	十一	前八行	琳船艦潰。亂 汲	潰 北	殿誤，見北齊王琳傳
卷		前八行	兵士透水死者十二		
卷		行	三 汲	投 北	殿誤、見北齊王琳傳
卷	十二	前二行	有龍出於門外之池。		
卷		行	汲	地 北 池 梁書〇考證一本	
卷		後七行	摠。藩。伯之任 汲	藩 北	
卷	十三	前四行	早簉。末僚	造 汲北	殿誤，見北齊王琳傳
卷		前八行	比肩東閤。之吏 汲	閣 北	殿誤，見北齊王琳傳
卷		後五行	瑒。等	瑒 汲北	修瑒
卷	十四	前十行	彪率所領客馬。 汲	焉 北	修
卷	十五	前二行	留長史謝岐。居守 汲	岐 北	殿是，見陳書傳十
卷		前三行	助岐。保城 汲	岐 北	
卷		前四行	泰等反與歧。迎陳文		
卷		行	帝入城 汲	岐 北	
卷		後十行	謂。昭達殯彪喪 汲	請 北	
卷	十六	前六行	皆爲特。所重異	時 汲北	修

卷	葉	行	元本	殿本	備註
傳卷五四	十六	後二行	文盛克○終有鮮	克 汲北	修
傳卷五五	一	前十行	武帝踐祚○ 汲北	阼	
卷		後五行	擬除丹楊○尹	陽 汲北	
卷		前八行	出家爲沙○門 汲北		考證陳書粲
卷	二	前三行	及帝踐祚○ 汲北	阼	
卷		後三行	更決死○一○戰 汲	一死 北	
卷		後七行	固○推湘州刺史晉熙、		
卷		前後行	王叔文爲盟主	因 汲北	殿是○漏修○不似固
卷	三	後六行	太宰楊●州牧	揚 汲北	
卷		後九行	王○勇所害 汲	北脫王	考證監本脫王字，今不脫
卷		後十行	休先○之子也	北訛光	考證監本訛光，今不
卷		前後行			訛
卷	四	前一行	有太○志	大 汲北	修
卷		前九行	乃自○率步騎 汲北	目	殿誤，石印自
卷		前九行	遣蕭軌○等隨徐嗣		
卷		前後行	徽渡江 汲	軌 北	北齊紀四軌○殿是、陳

卷	葉	行	元本	殿本	備註
傳卷五五		前後行			書紀一〇十行作軌
卷	四	前一行	武帝踐祚○ 汲北	阼	
卷		後六行	方泰少麤獷 不提行	提行 汲北	
卷	五	前六行	登玄武門觀○宴羣		
卷		前後行	臣以觀之 汲北	親	殿誤、見陳書南唐愍王
卷		前後行			曇朗傳按置兩觀以表
卷		前後行			宮門、見三輔黃圖 考證
卷		前後行			殊踈
卷	六	前七行	隋文帝踐祚○ 汲北祚	阼	修从木
卷		後五行	仕梁爲東宮直閤○		
卷		前後行	將軍 汲	閣 北	殿誤
卷		前七行	重贈太傅○	傳 汲北	修
卷	七	後二行	不置佐史○ 汲	使 北	殿誤、見考證、見陳書
卷		前後行			始興王伯茂傳○各本
卷		前後行			俱使
卷		後三行	置佐史○ 汲	使 北	

卷	葉	行	元本	殿本	備註
傳卷五五	七	前七行	遷東揚。州刺史	揚 汲北	殿誤
卷	八	前三行	徙爲東揚。州刺史	揚 汲北	
卷		後六行	目通睛。揚白 汲北		考證陳書精
卷	九	前三行	憤。墮業	墮 汲北	
卷		前四行	櫝。楚	櫝 汲北	
卷		後三行	因趣白楊道臺馬		
卷		行	容。至 汲北		考證陳書客○修○按
卷		行			客當是容之訛
卷		後三行	尸於昌館門 北汲		汲尸作屍○考證陳書有
卷		行			東字
卷		後七行	官。曹緝理 北		考證閣本宮、今從陳書、
卷		行			汲同
卷	十	前七行	大。業中爲臨洮太		
卷		行	守 汲	太 北	殿誤、按大業隋煬帝年號
卷		後十行	生陽山三。叔。宣	王 汲北	修
卷	十一	前一行	申婕妤生海。陵。王		

南史　校勘記　傳五五　一七七頁

卷	葉	行	元本	殿本	備註
傳卷五五		前後行	叔儉	南安 汲北 陳書	傳文十八葉南安王
卷	十一	前六 後行	叔陵字◦子嵩	字 汲北	修
卷		前後八行	畫◦夜	書 汲北	修
卷		前後十行	皆通◦爲左右	逼 汲北	修○下文逃竄輒殺，
卷		前後行			逼字義長
卷	十二	前四 後行	重者至誅◦死	殊 汲北	修
卷		前七 後行	爲沐◦猴百戲 汲北	沭	殿誤
卷		前後四行	尤不執◦ 汲	執 北	殿是
卷		前後七行	切藥刀◦ 汲北		考證監本訛乃，今不
卷		前後行			訛
卷	十三	前六 後行	斷青◦溪橋道 汲	清 北	殿誤，見卞彬傳
卷		前後六行	先在新安◦ 汲北	林 陳書	考證監本安○考證云，
卷		前後行			前七行遣人往新林追
卷		前後行			所部兵馬，當作新林無
卷		前後行			疑○修
卷	十四	前一 後行	汙瀦◦其室	潴 汲北	

卷	葉	行	元本	殿本	備註
傳卷五五	十四	前後八行	累遷丹楊尹	陽 汲北	
卷		前後三行	楊州刺史	陽 汲北	
卷		前後十行	案驗令貴	實 陳書 汲北	修
卷	十五	前後一行	一死日蹔見叔陵	且 汲北	日亦通，陳書「臣死之日」
卷		前後行			○殿誤，按陳書長沙王
卷		前後行			叔堅傳作「臣死之日必見
卷		前後行			叔陵」
卷		前後五行	爲遂寧郡々守 汲	有太字 北 陳書	
卷		前後十行	至巴州台率巴州刺		
卷		前後行	史	乃 陳書 汲北	修
卷	十六	前後六行	至德中爲丹楊尹	陽 汲北	
卷	十七	前後四行	縛暉等以徇	狥 汲北	
卷		前後八行	叔達字子聽	聰 汲北 陳書	修○連四聰，聽是
卷		前後九行	位丹楊尹	陽 汲北	
卷		前後六行	爲胡蘇令 汲北	胡	考證陳書湖
卷	十八	前後十行	位丹楊尹	陽 汲北	

南史　校勘記　傳五五、傳五六　一八〇頁

卷	葉	行	元本	殿本	備註
傳卷五五	十八	後三行	巴東王叔譓字子軌。汲	軌北	
卷	十九	前一行	禎。明三年	禎汲北	脩
卷		前七行	錢唐。王恬汲	塘北	
卷		後三行	隋将韓擒く汲	有虎字北	按韓擒虎隋書傳文作
卷		行			韓擒
卷		後十行	爲皇太。子	太汲北	脩
卷	二十	前一行	時張貴妃孔貴嬪並		
卷		行	愛獨。沈皇后無寵	幸陳書汲北	獨屬下讀，對並而言。
卷		行			似較好。
卷		後六行	容貌最。陋	蕞陳書汲北	
卷		後九行	爲昌。隆。令汲北		考證陳書会昌
卷		後十行	東陽王悝字承原。	厚陳書汲北	殿是
卷	廿一	前三行	爲任。城令汲北		考證陳書涪
卷		後三行	提契。以殞	携汲北	
傳卷五六	一	前七行	梁太。同中	大汲北	脩
卷	三	前四行	困於賤。役汲	賦北陳書	

卷	葉	行	元本	殿本	備註
傳卷五六	三	前十行	往新蔡懸瓠慰勞		
卷		行	白水蠻〱謀執奮以		
卷		行	入魏 汲	壘蠻字 北陳書	
卷		後七行	勦被代。	代 汲北陳書	下句與勦俱下，代是○
卷		行			修
卷	五	前二行	擄無。湖	蕪 汲北陳書	殿是、六行亦有蕪湖
卷		前六行	自丹楊。步上	陽 汲北	
卷		前七行	武帝白。天。不。逆風	曰矢逆 汲北	均修○陳書兵不逆風
卷		前八行	當法。之	決 汲北陳書	修
卷		前十行	頻戰〱功最 汲	行有字 北	殿誤，見陳書周文育傳
卷		後五行	僬僧度羊東。	柬 汲北陳書	
卷		後九行	文育由間。道 汲	間 北	
卷		後九行	信宿達芊。韶 汲北	芊	字書芊是，無他證
卷		後十行	芊。韶上流則歐陽頠		
卷		行	蕭勃 汲北	芊	
卷		後十行	余孝項。	頃 汲北	修

卷	葉	行	元本	殿本	備註
傳卷五六	六	前一行	文育據其中間。	間 汲北	修
卷		前二行	文育遣嚴威將軍周		
卷		前後行	鐵武。汲	虎 北	
卷		前四行	其將潭。世遠 汲	譚 北 陳書	殿是
卷	七	前七行	寶安字安人。汲	民 北	按民避唐諱爲人
卷		前十行	與士。君子游 汲北	十	殿誤
卷		後三行	寄以心旅。	膂	
卷		後七行	子招嗣位晉陵定遠		
卷		前後行	二郡く 汲北	仝上	應有太守二字，見陳書
卷		前後行			周文育傳
卷	八	後一行	郥。縣侯 汲北	鄮	殿誤，見陳書侯瑱傳
卷		後四行	太。敗元建	大 汲北	修
卷	九	後十行	大敗壚。軍	盛 汲北	修○上文賀若敦獨孤
卷		前後行			盛等來攻巴湘，此當作
卷		前後行			盛
卷	十	後三行	戰于廳。事前	聽 汲北	修

卷	葉	行	元本	殿本	備註
傳卷五六	十	後三行	安都自内閤。出 汲	閣 北	殿誤，見陳書侯安都傳
卷		後十行	琵琶。	琶 汲北	修
卷	十一	前五行	禽齊儀同乞扶。無		按陳書侯安都傳作「乞
卷		行	勞 汲	伏 北	伏無勞」
卷		前九行	戰於莫。府山 汲	幕 北	按陳書作莫，莫幕通，
卷		行			見史記李廣傳
卷	十二	前五行	令所親官。者	宦 汲北	修
卷		前八行	尋爲丹楊。尹	陽 汲北	石印
卷	十三	前三行	大。子將至	太 汲北	修
卷		前八行	拜其母爲清遠國		
卷		行	大。夫人	太 汲北	修
卷		後七行	樓艦。與異城等	船	
卷		後九行	頌史。安都功績	美 汲北	修
卷	十四	前一行	文士則褚。玠 北	褚 汲	陳書文學傳褚是，見通
卷		行			志氏族略

卷	葉	行	元本	殿本	備註
傳卷五六	十四	前二行	劉删○	珊 汲北	本書傳六十二徐伯陽傳
卷		後前 行			劉删○殿誤○見陳書侯
卷		後前 行			安都傳及徐伯陽傳
卷		前三行	部下○将帥 汲北	官	
卷		前四行	深銜○之	銜 北	汲御○殿誤，見陳書侯
卷		後前 行			安都傳
卷		前六行	嘗陪樂游禊○飲 北	褉 汲	殿誤，見正韻
卷	十五	前三行	侯郎○傲誕而無厭	郎	殿是，上文公侯均指人
卷		後前 行			之称
卷		後四行	侯景稱○逆	構	殿誤，見陳書歐陽頠傳
卷		後十行	頠助帝○平之	討	殿誤，按陳書作「頠率兵
卷		後前 行			度嶺以助高祖」
卷	十七	前三行	威惠著於百越○	姓	殿誤，見陳書歐陽經傳
卷		前七行	閑明簿○領	簿	殿誤
卷	十九	前四行	乃以量○爲都督水陸		
卷		後前 行	諸軍事 汲北	吳	殿誤，見陳書淳于量傳

卷	葉	行	元本	殿本	備註
傳卷五六	十九	前八 後 行	墯。馬	墮 汲北	
卷	二十	前七 後 行	卿憶夢不。汲	否 北	殿誤，見陳書章昭達傳
卷		前十 後 行	又頗。遣使 汲	頻 北 陳書	修
卷	廿一	前三 後 行	每飲會。汲	食 北	殿誤，見陳書
卷		前二 後 行	秋而大穫。汲	獲 汲北	
卷	廿二	前四 後 行	遣安成王瑱。	頊 北 陳書	汲瑣
卷		前 後六 行	尋遷丹楊。尹	陽 汲北	
卷		前五 後 行	詔具大。宰 北	太 汲	修
卷	廿三	前二 後 行	甲冑。	冑 汲北	字書甲冑，从由月，月即
卷		前 後 行			覆冒之義，脩冑从肉○
卷		前 後 行			修
卷		前二 後 行	王。琳	王 汲北	修
卷		前五 後 行	陳旗鼓。戈甲	鼓 汲北	
卷		前 後一 行	遣上大將軍王軌。		
卷		前 後 行	救之 汲	軌 北 陳書	
卷		前 後二 行	軌。輕行自清水入灌		

卷	葉	行	元本	殿本	備註
傳卷五六		行	口 汲	軌 北	
卷	廿三	後四行	決。堰 汲北	決	
卷		後六行	決。其堰 汲北	決	
卷		後六行	乗水刀。以退軍	力 汲北	修
卷		後九行	裴子烈字大士 不提行 汲	提行 北	
傳卷五七	一	前四行	周鐵武。汲	虎 北	
卷	二	前四行	以饒。勇聞	驍 汲北	修
卷	三	前一行	尋爲水軍隨吳明		
卷		行	徹平華皎	領 汲北	殿誤，按陳書徐敬成傳作「尋詔爲水軍」
卷		行			
卷		後三行	因閑。於別室	閑 汲北	修
卷	四	前五行	配享武帝廟庭。汲北	廷	
卷		前六行	周鐵武。汲	虎 北	
卷		前八行	鐵武。功最 汲	虎 北	
卷		前九行	鐵武。呼曰 汲	虎 北	
卷		前十行	鐵武。從僧辯剋任		

卷	葉	行	元本	殿本	備註
傳卷五七		行	約 汲	虎 北	
卷	四	後三行	鐵武。率所部降 汲	虎 北	
卷		後四行	鐵武。破其水軍 汲	虎 北	
卷		後五行	文育命鐵武。偏軍襲		
卷		行	勃 汲	虎 北	
卷		後七行	唯鐵武。辭氣不屈 汲	虎 北	
卷		後八行	獨鐵武。見害 汲	虎 北	
卷	六	後五行	文季乃前領驍。勇 汲北	騎	殿誤，見陳書程靈洗傳
卷		後六行	進拔盱。台。 汲	盱眙 北	按台眙通，盱眙屬南兗
卷		行			州，見南齊書州郡志上
卷	七	後二行	恪預其。事 汲北	兵	殿誤，按陳書沈恪傳作
卷		行			「恪預其謀」
卷		後十行	帝踐祚。 汲北	阼	
卷	九	前五行	封永安。縣侯 汲	嘉 北	殿誤，見陳書錢道戢傳
卷		後三行	文牙母陵。 北	陳 汲	殿誤，見陳書駱牙傳
卷	十	前五行	周遣太。將軍史寧	大 汲北	修

南史 校勘記 傳五七 一八八頁

卷	葉	行	元本	殿本	備註
傳卷五七	十三	前二行	超致顯達深六。年。		
卷		前後行	乃舉兵反	不平 汲北	陳書周敷傳作不平，按
卷		前後行			周迪舉兵在天嘉三年，
卷		前後行			周敷以四年遷南豫州刺
卷		前後行			史，是年章昭達大破周
卷		前後行			迪，並見陳書紀三○深
卷		前後行			下有闕，天嘉有六年
卷		後九行	法尚少倣。儻 汲	倜 北	汲注一作倜，按倣倜同，見
卷		前後行			正韻○倣儻，見史記魯
卷		前後行			仲連傳
卷	十四	前五行	封西陵。縣伯	陽 北	汲陵○殿誤，見陳書周
卷		前後行			炅傳
卷		前六行	陳武帝踐祚。汲北	阼	
卷	十六	前一行	後、伐。兄悉達	代 汲北	修
卷		前十行	一。年授都督	十 汲北	修
卷	十七	前六行	隋將韓擒之。濟江 汲	虎 北	按陳書魯廣達傳作隋

卷	葉	行	本	殿本	備註
傳卷五七		前 後 行			將韓擒之濟江也」,韓擒
卷		前 後 行			即韓擒虎,見隋書傳。
卷	十七	前七 後 行	及所部奔擒擒。遣使		
卷		前 後 行	致書招廣達 汲北	虎 陳書	
卷	十九	前三 後 行	受服。專征	脤 汲北	修
卷		前五 後 行	壘。壍。未堅 汲	壍壘 北	殿誤,見陳書蕭摩訶傳
卷		前八 後 行	陳兵白上。岡	土 汲北	修
卷	廿一	前 後一 行	首。自殯斂	手 陳書 汲北	批修,未修
卷		前 後三 行	啓於朝延。	廷 汲北	修
卷		前六 後 行	齊歷陽正。高景安	王 汲北	修
卷	廿二	前 後一 行	後主嗣仁。延。號	位進 汲北	修
卷		前四 後 行	爲我南炭。	岸 汲北	修
卷		前 後六 行	後主令宮。人裝束以		
卷		前 後 行	待忠 汲北	官	殿誤,見陳書任忠傳
卷		前 後七 行	時隋將韓擒く自新		
卷		前 後 行	林進軍 汲	有虎字 北	

卷葉行			元本	殿本	備註
傳卷五七	廿二	後八行	仍引擒〻軍共入南		
卷		行	掖門 汲	有虎字 北	
卷		後十行	平陳之而。義。悔 不殺		
卷		行	任蠻奴	初我 汲北	初我是〇而義亦不可通，
卷		行			初我形不近。
卷	廿三	後七行	與周人相抗。汲	拒 北	殿誤、見陳書樊毅傳
卷	廿四	前三行	毅弟猛 不提行	提行	
卷		後四行	隋將韓擒〻 之濟江 汲	有虎字 北	
卷		後五行	擒〻進軍攻陷之 汲	有虎字 北	
卷	廿五	前四行	孫瑒徐〻譜 北	有世字 汲	殿是
卷		前七行	然任忠與亡之義無		
卷		行	乃致虧	與 汲北	殿誤
傳卷五八	一	前五行	謝岐。	岐	
卷		後五行	領前軍將。軍。	脱將軍二字	見陳書趙知禮傳
卷	二	前八行	爲御史中丞沈炯。所		
卷		行	劾 汲北	炯	見陳書傳十三

卷葉	行	元本	殿本	備註
傳卷五八 二	前九行	文帝鎮南皖。北	皖 陳書紀三	汲作墨丁○皖正亦作
卷	前後行			皖，見後漢馬援傳
卷	後三行	新豐。縣子	豐 汲北	四葉作豐○修
卷 三	後七行	河南。褚翔	褚 汲北	
卷	後九行	召補迎主簿 汲北	仝上	
卷	後十行	東宮領直 汲北	仝上	
卷 四	前一行	襲封新豐。侯	豐 汲北	修○與二葉後三行有關
卷	後二行	至於士流官官。	宦 陳書 汲北	修
卷	後七行	即進。還	追 陳書 汲北	追義勝○修
卷 五	前三行	一以貫。之 汲北	仝上	考證陳書名
卷	前八行	多所裨。益 汲	裨 北	
卷	後二行	寓。都下	寓 陳書 汲北	修
卷 六	後五行	子高許諸。	諸 陳書 汲北	修
卷	前二行	慰勞衆事。	軍 陳書 汲北	修
卷	後五行	都。配以甲兵	仍 陳書 汲北	
卷 七	後七行	有當務。才 汲北	考證陳書世	當務是，當務之爲邕

南史

卷	葉	行	元本	殿本	備註
傳卷五八	八	後七行	從梓宫者皆服草。		
卷		行	衰	苴	
卷	九	後一行	謝岐。	岐	
卷		後一行	岐。少機警	岐	
卷		後三行	恒留岐。監郡知後事	岐	
卷		後四行	岐。所在幹理	岐	
卷	十	前一行	爲尚書功論侍郎 汲北	仝上 陳書	
卷		前三行	周家。宰	家 汲北	修
卷		前五行	柳皇后及後王。	主 汲北	修
卷	十一	前六行	敕中庶子。 汲北	于	殿誤，石子
傳卷五九	一	前六行	王府記至。	室 汲北	修
卷	二	後七行	有集。二十卷行于		
卷		行	世 汲北	書	殿誤，見陳書沈炯傳
卷	三	前五行	兼丹楊。詔獄正	陽 汲北	
卷		後六行	常引〻左右朝夕顧		
卷		行	訪 汲	有在字 陳書 北	

卷	葉	行	元本	殿本	備註
傳卷五九	六	前一行	從。折。衡。之辯 汲	折從衡 陳書 北	
卷		後五行	款篤殷。勤。汲	慇懃 北	
卷		前六行	翻然。異計 汲北	於	殿誤，按陳書作遽生
卷		後八行	願將軍少戢雷霆。汲	震 北	殿誤，見陳書虞荔傳
卷		前三行	天網。再張	綱 陳書 汲北	殿是
卷		後五行	退足以屈強。江外 汲	彊 北	按陳書作強
卷	七	前二行	傾覆。相尋 汲北	蓋	殿誤，見陳書虞荔傳
卷	八	後一行	宵。旰匹夫之力 汲北	修旰 陳書	見考證
卷		前四行	家。有成功者乎	其 汲北	修
卷		後五行	秦郎。快郎	郎 汲北	修
卷	九	前三行	衡陽王出閤。	閣	殿誤
卷		後六行	加。成昭將軍	戎 汲北	修
卷		前十行	與人。荔隔絶	兄 汲北	修
卷		後四行	以凡。杖侍坐	几 汲北	修
卷		前十行	湘州刺史肅。循	蕭 汲北	修
卷	十	後三行	不虔郊廟大神。汲	之 陳書 北	

卷	葉	行	元本	殿本	本備註
傳卷五九	十一	後三行	略知大旨。	指 汲北	殿誤，見陳書顧野王傳
卷		後九行	乃召慕鄉黨	募 汲北	修
卷	十二	前六行	玉篇三。十卷 汲	二 北	殿誤，見陳書
卷		前八行	並行於時。	世 汲北	
卷		後六行	二。官所得供賜	宮 汲北	修
卷	十三	前八行	八佾。之儛	佾 汲北	修
卷		後五行	餘。中書侍郎	除 汲北	修
卷		後五行	轉太子僕 汲北	仝上	南齊書傳三十五第十四頁後一行亦有太子僕
卷		行			
卷		行			
傳卷六〇	一	前五行	申怙。	仝誤	當作恬，見宋書紀五及傳二十五
卷		行			
卷	二	前二行	蓋宋世之極、盛也。 汲	時 北	殿誤
卷		前六行	朝宴。所臨東西二堂		
卷		行	而已 汲北	晏	
卷		前七行	清暑方構。 汲	搆 北	

卷	葉	行	元本	殿本	備註
傳卷六〇	二	前九行	彫栾〇綺節 汲	欒	北奕〇見考證，監本訛奕，一本作栾〇按栾俗欒字
卷		前後行			
卷		前後行			
卷	三	前二行	墠場〇大擾	場 北	汲場〇殿誤
卷		前四行	褒〇刻聚斂 汲北	褒	殿誤
卷		後三行	居官竝以廉絜〇著 汲	潔 北	
卷	四	後一行	符〇堅平涼州 汲北	苻	
卷		後六行	亶辯〇見知 汲北	辨 宋書	殿是
卷		後十行	此〇土舊法	北 宋書 汲北	修
卷	五	前一行	同郡韋〇華 汲	考證監本訛世 北	今不訛
卷		後三行	宋偏裨〇小將莫及 汲	裨 北	
卷	六	前七行	申怗〇	怗	仝誤，當作帖
卷		前九行	武帝踐祚〇 汲北	阼	
卷		後七行	孝武踐祚〇 汲北	阼	
卷		後二行	十年不請休急〇 汲	息 北	宋書息〇按請急猶言
卷		前後行			

卷	葉	行	元本	殿本	備註
傳卷六〇		前後行			請假，晉令五日一急
卷	七	前七行	抱坦慟。哭 汲	痛 北	殿誤，見宋書申恬傳
卷	八	前七行	武帝踐祚。	祚	
卷	九	後二行	誤著展出閤。	閣	
卷	十	前二行	歆之。位左戶尚書 汲	脫之字 北	按王歆之見宋書良吏傳〇前行言歆之字叔道
卷		前後行			
卷		前九行	一束苧。	苧 汲北	修
卷		前十行	以手巾裏。之	裏	同誤，當作裹
卷		後四行	及踐祚。汲北	祚	
卷	十一	前四行	爭圍。絲	團 汲北	修
卷		後一行	長沙太守王沈。汲北	沉	
卷		後三行	沈。字彥流 汲北	沉	
卷		後七行	兼直主簿。汲	簿 北	殿誤
卷		後九行	不意郢君章近在		
卷		前後行	閤。下即轉。爲主簿。	閣 汲北 簿	殿簿誤
卷	十二	前一行	政當覷季孟之間		

卷	葉	行	元本	殿本	備註
傳卷六〇		前後行	乎。汲	脱乎字 北	殿是、見十一頁十行〇前
卷	十二	前一行	嶰〱吳興武康人 汲	有之字 北	行云嶰之以清廉抵罪〇
卷		前後行			下文亦作嶰之
卷		後九行	子岐。岐字景平 汲	岐 北	修〇後頻作岐〇汲古全
卷		前後行			作岐
卷	十三	前一行	始。新令 汲		考證監本訛如〇北如
卷		前五行	岐曰。其右。負信	曰 若 汲北	均修
卷		前九行	常遣岐。接對焉 汲	岐 北	修
卷		前九行	大清元年 汲北	太	修〇殿是
卷		後三行	岐。獨曰 汲	岐 北	
卷		後四行	必是設閒。	間 汲北	修
卷		後五行	墯。其計中 北	墮 汲	
卷	十四	前二行	岐。獨言於衆曰 汲北	岐	修
卷		前三行	以岐。勤勞	岐	修
卷	十五	前四行	貧素致。之甚難 汲	尋 北	殿誤，見南齊虞愿傳

卷	葉	行	元本	殿本	備註
傳卷六〇	十六	前一行	王洪軌。汲	軌北	
卷		前二行	仍。以爲妻汲北	乃	殿是
卷		前六行	高帝輔政引。爲腹		
卷		行	心汲	以北	殿誤、無可證
卷		後一行	仍。慟哭不自勝汲北	乃	殿誤
卷		後九行	領揚州部傳。從事北	傳	據考證、殿本亦應作傳
卷		行			〇殿誤〇汲空格、考證云
卷		行			閣本無傳字、按梁制以
卷		行			部傳從事爲一班、見隋
卷		行			書百官志上。
卷	十七	前二行	爾何不學沈。瑀所		
卷		行	爲汲北	光	沈瑀是、殿誤
卷	十八	前五行	瑀廉絜。自守汲	潔北	
卷	十九	前四行	梁武帝踐。祚汲北	阼	
卷		前七行	唯有二十籠簿。書汲	簿北	殿誤
卷		後二行	謙將述。職汲北	仝上	

卷	葉	行	元本	殿本	備註
傳卷六〇	廿	前後 七行	帝笑之く	有曰字	殿是
卷		前後 五行	廉便辟巧官。汲	宦 北	修
卷		前後 一行	蹋面不知瞋。汲	嗔 北	殿誤，見梁書孫謙傳
卷		前後 十行	武帝踐祚。汲北	阼	
卷	廿二	前後 一行	恢亦推心杖。之 汲	仗 北	
卷		前後 八行	皆不受測。汲北		測，當時讞案術語，
卷		前後 行			某卷殿本改刑誤矣。
卷		前後 行			
卷		前後 行			
卷		前後 六行	好鬧。途巷	閙 汲北	原本不明，修
卷	廿三	前後 一行	疾強富如仇。讎	仇 汲北	
卷		前後 一行	選爲長。兼。南梁郡		
卷		前後 行	丞 汲北		長兼
卷		前後 五行	貪苛者取入。多徑 汲	人 北	殿誤
卷		前後 十行	今。年豐歲稔 汲	本 北	殿誤
卷	十四	前後 十行	豎詠則湯熨散九。	丸 汲北	修

卷	葉	行	元本	殿本	備註
傳卷六〇	廿四	後四行	主慈臣°惟息謀外		
卷		行	旬 汲	恇	北恇○修恇
卷		後九行	入封°則言聖旨神		
卷		行	衷 汲	對 北	修
卷	廿五	前八行	僧°尼十餘萬 汲北		考證監本缺僧字
卷		後七行	逼以衆役°多投°其		
卷		行	募 汲	投役 北	投募所以避役○殿誤
卷	廿六	前三行	則取北°伍比伍又叛	比 汲北	修
卷		前四行	肆眚°時降 汲北	青	殿誤、見書舜典
卷		前五行	上下°任信下 汲北	仝上	佶屈聱牙○不易解○
卷		行			按句疑當作「上不任信
卷		行			下」、尋下文州郡競急切
卷		行			及嚴科立至」可證
卷		前六行	同趣下°城 汲北	下	原、太遠、修
卷		前十行	左僕射王暕° 汲	暕 北	殿誤、見梁書傳十五
卷		後四行	不忌憲網° 汲	綱 北	殿是

卷	葉	行	元本	殿本	本備註
傳卷六〇	廿六	前七行	食不過一肉 汲北	敢	殿誤
卷		前八行	鞭而徇衆。 汲	狥 北	徇狥同
卷	廿七	前一行	仍令所親人先登不		
卷		後行	時進。 汲	追 北	進可通○殿誤，承上文
卷		後行			未敢進言
卷		前二行	用功寡而成器多		
卷		後行	焉 汲	寬 北	
卷		前九行	蓋化有醇薄者也 汲	薄 北	殿誤
傳卷六一	一	後八行	孔子祛 汲	袪 北	傳文袪一見，餘均從衤
卷		後行			○殿誤，見梁書儒林傳
卷		前九行	皇偘。 汲	侃 北	偘侃同
卷		前一行	金。緩	全 汲北	傳文全緩，脩
卷		後七行	其後太學生徒 汲	大 北	殿誤
卷	二	前七行	賀瑒。 北	瑒 汲	
卷		前八行	給其餼稟。 汲	廩 北	殿誤，見禮中庸
卷	三	後十行	多伎。術	伎 汲	考證監本訛後○北後○

卷	葉	行	元本	殿本	備註
傳卷六一		前後行			今乃作伎
卷	三	後四行	梁武帝踐祚。汲北	阼	
卷	四	後二行	冐。寵不辭 汲北	冒	
卷	六	前二行	都下稱其醇。儒 汲	高	北挖○見考證一本醇
卷		前六行	洗滌者十餘過。汲	遍 北	
卷		後三行	多所裨。益 汲北	裨	
卷	七	前五行	不受稟。奉 汲	廩 北	殿誤
卷		後八行	強刀。專精深爲瓛く		
卷		前後行	器 汲力	力 有所字	修力○北作刀、所器
卷	八	後三行	皇子服訓養母依。禮。		
卷		前後行	庶母慈己宜從小功		
卷		前後行	之制 汲	禮依 北	殿誤、按禮指喪服小功
卷		前後行			章言、尋下文武帝三
卷		前後行			條二則之説可證
卷	十	前十行	吳令く 汲	有卒字 北	前四行曲阿令可證、不
卷		前後行			必定有卒字○按梁書

卷葉行			元本	殿本	備註
傳卷六一		前後行			卞華傳句作"出爲吳令
卷		前後行			卒」
卷	十一	前五後行	講說並數十徧。梁書 汲	篇 北	十葉講尚書四十徧○
卷		前後行			殿誤、見梁書孔僉傳
卷		前九後行	范陽涿。人 汲	涿 北	殿誤
卷	十二	前四後行	乃啓峻及孔子袪。	袪	殿誤
卷	十三	前一後行	頗有遺藁。	藁	當作稾
卷		前八後行	聖賢因機而逗。教	立	汲逗注一作立○殿是、
卷		前後行			見陳書沈文阿傳
卷		前後三行	此皆有く而爲之	有爲字	殿是、見陳書沈文阿傳
卷	十四	前後八行	師事賀瑒。汲	瑒 北	
卷	十五	前後三行	位楊。州別駕從事史	揚 汲北	
卷		前後三行	建康令沈孝軌。	軌 汲北	後九行軌
卷	十六	前二後行	除喪く已	有則字 汲	北嵌補○殿是、見禮記
卷		前後三行	盡一。二更	於 北	汲作于、按一疑于之訛、
卷		前後行			見陳書沈洙傳

卷	葉	行	元本	殿本	備註
傳卷六一	十六	後十行	危憜之士。	上 北	汲墮、士○上句重械之
卷		行			下、下云無人不服、此當
卷		行			作上○殿是、見陳書沈
卷		行			洙傳○見考證、一本憜
卷		行			作墮、上作士
卷	十七	前四行	身無完者。	膚 汲北	按陳書沈洙傳作者
卷		前七行	兼用畫。漏	晝 汲北	修
卷		後五行	比之古漏則一上。多		
卷		行	昔四刻	上 汲北	十六葉後三行日一上○修
卷		後七行	獄因無く在夜之。致		
卷		行	誣 汲	有以字 而 北	按陳書沈洙傳句作「獄
卷		行			因無以在夜之致誣」
卷	十八	後十行	筆豪。盡每削用之	毫 汲北	
卷	十九	前八行	每自學還私室講		
卷		行	受。汲	授 陳書 北	殿是
卷	二十	前四行	釋乾坤文。言 汲北	又	殿誤、見陳書張譏傳

卷	葉	行	元本	殿本	備註
傳卷六一	二十	前八行	在東宮集官。僚	宮 汲北	修○陳書官
卷	廿二	前一行	詔颰。勇將軍陳慶		
卷		後前行	之 汲	颰 北	殿誤、見梁書陳慶之傳
卷		後五行	栖隱于武。丘山 汲	虎 北	
卷		後五行	與吳興沈炯。 汲北	烱	殿是、陳書傳十三
卷	廿三	前六行	廉絜。正人 汲	潔 北	
卷		後二行	華皎。舉兵 汲	皎 北	殿誤、見陳書傳十四
卷		後四行	碑誌殘。表 汲北		考證監本缺殘字今
卷		後前行			不缺
卷	廿四	後一行	姻。不失親	因 汲北	修
卷	廿五	前四行	後爲南平王府限内		
卷		後前行	參軍主。爲江州	王 北	修○汲古以下缺葉
卷		前五行	卒於秦王府東閤。		
卷		後前行	祭酒	閣 北	殿誤、見陳書百官志
卷		後一行	爲郡王官。掾	五 北	修
卷		後四行	由是傳。經。受業者		

卷	葉	行	元本	殿本	備註
傳卷六一		前後行	蓋鮮焉 北	經傳	殿誤
傳卷六二	一	前四行	く叔道鸞 汲	有超字 北	殿是
卷		前九行	鍾。嶸 傳文 北	鍾 汲	
卷		後八行	小則申杼。性靈	抒 汲北	修
卷	二	前一行	五馬南度。 汲	渡 北	按度渡通
卷		後四行	唯有丘靈鞠及沈敎。		
卷		前後行	耳 汲	勃 南齊 北	汲敎注一作勃
卷	三	前四行	在沈深。坐 汲	淵 北	按淵避唐諱改深
卷		前五行	見王徐。詩深。日王令		
卷		前後行	文章大進 汲	儉 淵 北	殿儉是、南齊○汲徐
卷		前後行			注一作儉○見考證
卷		後三行	及踐祚。 汲北	阼	
卷		後九行	時有鍾。嶸 北	鍾 汲	
卷	四	後三行	梁武帝踐祚。 汲北	阼	
卷	六	前八行	列管謂簫。也 汲	蕭 北 南齊	殿是
卷		後九行	孔蚑有謠言。朝生暮		

卷	葉	行	元本	殿本	備註
傳卷六二			孫汲	云北	殿誤，見南齊卞彬傳
卷	七	前二行	賭○性卑而率汲	猪北	
卷		前二行	鵝性頑而傲○汲	傲北	
卷		前三行	賭○卑率謂朱隆之汲	猪	
卷		後八行	又有人送書與○爽告		
卷		行	躓汲北	於	
卷		後九行	何不貸羊粲○米	糴汲北	按粲糴省文，見集韻
卷		後十行	爽出從縣閤○下過	閣	
卷	八	前一行	受打未詎来○	央汲北	修
卷		前五行	少舉丹楊○郡孝廉	陽汲北	
卷		後九行	仕至楊○州中從事	揚汲北	
卷	九	前一行	終○於衛軍武陵王		
卷		行	東曹掾	卒汲北	
卷		八行	粲為丹楊○尹	陽汲北	
卷	十	前五行	家財千○萬汲	十北	殿誤，見南齊崔慰祖傳
卷		後二行	吏部郎謝朓○	眺汲北	修

卷	葉	行	元　本	殿　本	備　註
傳卷六二	十	前四行	慰祖口吃。汲	喫 北	殿誤，見史記韓非傳
卷		後四行	眺。歎曰	眺 汲北	修
卷		後八行	與丹楊丞劉渢素善	陽 汲北	
卷	十一	前四行	付護軍諸從く人一		
卷		行	通	事 汲北 南齊	殿是，見考證
卷		後一行	會帝崩而。施行	而	並未施行，疑此「而」字誤○毫作「不」，見南齊祖冲之傳
卷		行			
卷	十二	前十行	位至太丹卿	府 汲北	按梁制太府卿爲十三班，大舟卿爲九班，暅之天監三年負外散騎侍郎，爲三班，疑太舟卿爲是○修舟
卷		行			
卷		行			
卷		行			
卷		行			
卷		後七行	此一。壯士之任耳 汲	亦 北	殿誤
卷		後九行	如其。剋捷 汲北	此	殿誤
卷	十三	後八行	衞く軍王儉 汲	有將字 北	殿誤，按儉永明元年進

卷	葉	行	元本	殿本	備註
傳卷六二		行			號衛軍將軍、見南齊
卷		行			書王儉傳
卷	十三	後十行	希鏡坐被牧。當極法	收 汲北	修
卷	十四	後七行	風流迭。宕 汲	跌 北	汲注一作跌
卷		後十行	鍾。嶸字仲偉 北	鍾 汲	
卷	十五	前三行	爲南康王。侍郎	王 汲北	修
卷		前八行	鍾。嶸何人 北	鍾 汲	
卷		後八行	絶其訪。正直 汲	妨 北	修
卷	十六	前四行	于時謝朓。未遒	朓 汲北	修
卷		前十行	齊隆昌十。	中 汲北	修
卷		後一行	唯興。嗣。初談文史而		
卷		行	已 汲	與興嗣	汲注一作興嗣初
卷		後一行	因太相談薦。	大 汲北	修
卷		後六行	帝以。興嗣所製自題。		
卷		行	銅表銘 汲	用是 北 梁書	
卷	十七	前二行	興嗣與。焉 汲	助 北 梁書	

卷	葉	行	元本	殿本	備註
傳卷六二	十七	前八行	即日召入賦詩悅◦		
卷		行	焉 汲	之 北	殿誤
卷		後五行	著齊春秋三十卷◦ 汲	二 北	殿誤，見梁書吳均傳
卷		後五行	錢唐◦先賢傳 汲	塘 北	梁書吳均傳作唐
卷	十九	前一行	勉舉思澄顧協劉杳		
卷		行	王子雲鍾嶼等五		
卷		行	人以應還◦	選 汲北 梁書	殿是〇批修，未修
卷		前五行	遷〻書侍御史 汲	有治字 北	
卷	二十	前七行	其書殆過真也◦ 汲	直 北	
卷	廿一	前五行	舅陳郡謝暕◦卒	暕 汲北	殿誤，見梁書顧協傳
卷		行			
卷		前十行	丹楊◦秣陵人也	陽 汲北	
卷		後九行	瑜美容皃	貌 汲北	
卷	廿二	前二行	吳郡錢唐◦人也 汲	塘 北	
卷	廿三	前十行	未幾見子◦	兮 汲北	修
卷	廿四	前三行	有馬著◦皆◦亡	者 豈	汲北並作者皆，見陳書何之

卷	葉	行	元本	殿本	備註
傳卷六二		前後行			元傳○殿豈誤
卷	卌四	前九行	齊主。以爲楊州別		
卷		前後行	駕 汲	王 北	殿誤、見陳書何之元傳
卷	廿五	前一行	學士元。卓 汲	阮 北	汲注一作阮○修
卷	廿六	前二行	金翠珠具。	貝 汲北	修
卷		前七行	與卓談宴賜。詩	賦 汲北	修
卷	廿六	後四行	末。或。能盡 汲北	或未	
傳卷六三	一	前十行	徐耕 く 汲北	有嚴成王道蓋五字	
卷		後一行注	く弟天生 汲北	有張弘之等天與	
卷		前後行		六字	
卷		後五行注	鮮于文宗 く 汲北	有文宗姊 文英	
卷		前後行		五字	
卷		後六行注	吳巢。之母丁 北	翼 汲	
卷		後七行注	范怯。恂妻 汲	法 北	未批修、修
卷		後八行	韓係伯 く 汲北	有闡人敻三字	
卷	二	前七行	聖哲貽。言 汲	遺 北	

卷	葉	行	元本	殿本	備註
傳卷六三	二	前九行	之嗥翔之感	嗥	按宋書孝義傳作翱
卷		後十行	戎空格遽爲其首	車 汲北	補
卷		前三行	考千。載籍	于 汲北	修
卷	三	後三行	劉瑜歷陽歷陽人		
卷		前後行	也 汲	漏疊歷陽二字 北	按歷陽郡歷陽縣屬
卷		前後行			南徐州，見宋州郡志二
卷		前五行	一。十餘年 汲	二 北	未北修，修
卷	四	後二行	又。稟至行 汲北	幼	按又字承上文言父子相
卷		前後行			繼也○殿誤，見宋書郭世
卷		前後行			道傳
卷		前三行	每爲人作正。取散夫		
卷		前後行	價 汲北	止	殿誤，按宋書郭世道
卷		前後行			傳作匠○按正疑正夫之
卷		前後行			簡稱，如正徒正丁之類，
卷		前後行			對下散夫言。
卷		前八行	塋。壙凶功 汲北	心	殿誤，按宋書郭世道傳

卷	葉	行	元本	殿本	備註
傳卷六三		前後行			作營
卷	四	前四行	又以夫日。助之 汲	力 北	日字作時間性助動詞，
卷		前後行			或徑作日工解，均可通。
卷		前後行			○按宋書郭世道傳作
卷		前後行			日
卷	五	前十行	往錢唐。貨賣	塘 汲北	按宋書州郡志一作唐
卷	七	前十行	母好食鎗。底飯 北	鍋 汲	按鎗三足鬴，鬴玉篇
卷		前後行			作釜
卷		後八行	爲郡八。族 汲	大 北	殿是，宋書○按陳書陳
卷		前後行			寶應傳有世閥中四姓句
卷		前後行			八族或如四姓之類，不定
卷		前後行			訛也。
卷	八	前六行	送致。都 汲	至 北	按宋書張進之傳句作
卷		前後行			「送致還都」
卷	十	前一行	當悉漬。浸 汲	疑 北	殿誤，按漬浸猶言浸
卷		前後行			漬深透之義

卷	葉	行	元本	殿本	備註
傳卷六三	十一	前五行	給天與家長稟。汲	廩 北	按稟乃稟之訛、見宋
卷		行			書卜天與傳
卷	十二	前三行	晉陵晉。陵。人也 汲	漏疊晉陵二字 北	見宋書余齊民傳
卷	十三	前三行	曾祖揩。汲	楷 北	汲揩注一作楷〇按宋書
卷		行			何子平傳作揩
卷		後二行	元嘉三。十年元凶弒		
卷		行	逆 汲	二 北	殿誤、見宋書二凶傳
卷	十四	前八行	不廢婚官。	官 汲北	修
卷	十六	前一行	居母喪不勝喪。卒 汲	哀 北 宋書	
卷		前一行	解。千文宗	鮮于 汲北	修
卷	十七	後五行	自與二男寄止。鄰家 汲	比 北	殿誤、見南齊書孝義
卷		行			傳韓靈敏傳、按寄止
卷		行			猶言寄居。
卷	十八	前八行	弟慰之爲武進縣史。北	吏 汲	修
卷		後二行	。太守劉悛 汲北	大	殿誤
卷	二十	後九行	妻朝。氏守節不嫁 汲	胡 北	汲注一作卓〇按南齊書

南史

校勘記 傳六三 二一五頁

卷葉行	元本	殿本	備註
傳卷六三 前後行			韓靈敏傳作卓
卷廿一 前後一行	綿。被敕	紹 北	汲績
卷 前後十行	求出爲丹楊。丞	陽 汲北	
卷 前後一行	徙丹楊。丞一	陽 汲北	
卷廿二 前後五行	豈可以負之邪。汲	也 北	殿誤
卷 前後七行	渤。海人也	勃 北	汲勃又注一作渤○按渤、
卷 前後行			勃同，見集韻
卷 前後八行	事寡。嫂。甚謹 汲	嫂 北	
卷廿三 前後一行	未望。不北嘗。長悲	嘗望 汲北	修
卷廿四 前後一行	郢州行事主。英	王 汲北	修
卷 前後三行	預謂丹楊。尹徐孝嗣		
卷 前後行	曰 汲北	陽 汲北	
卷 前後八行	淚盡係。之以血 汲	繼 北	按係訓繼，見爾雅釋詁
卷廿五 前後一行	躬自步去梁。武帝		
卷 前後行	以爲南康王子琳		
卷 前後行	侍讀	梁 汲北	殿誤，此齊武帝○按梁

卷	葉	行	元本	殿本	備註
傳卷六三		前後行			卽上文梁鳥頭，武帝南
卷		前後行			齊作世祖
卷	廿五	前十行	乃自負擔冒嶮。	險 汲北	
卷	廿六	前一行	爲中軍由曹參軍。	田 汲北	修
卷		前二行	輒以臭。先試	身 汲北	修
傳卷六四	一	前四行	張悌〻 汲北	有等字	
卷	二	後三行	丹楊。秣陵人也 汲	陽 北	
卷	三	前五行	再遷東蒙。太守	莞 汲北	修
卷	四	前一行	夜恒有空二格来望之	猛兽 汲北	殿是，見梁書
卷		前四行	。困虛腫不能起 汲	因 梁書 北	
卷	五	後七行	豈顧齎。粉 汲	齏 北	
卷		後十行	丹楊。尹王志 汲	陽 北	
卷	六	前一行	何量豜之。莫	薄 北 梁書	汲作淺○殿是○莫字可通
卷		前三行	應璧。爲本州主簿	辟 汲北	修
卷		前四行	風化太。行	大 汲北	修
卷		前後行			

卷	葉	行	元本	殿本	備註
傳卷六四	六	前五行	丹楊。郡守臧盾	陽 汲北	
卷		前五行	楊。州中正張仄	揚 汲北	
卷		前七行	後因發。而卒 汲	廢 北	殿誤、見梁書吉翂傳
卷	七	後三行	吳郡錢唐。人也 汲	塘 北	
卷		後四行	武陵王紀爲楊。州	揚 汲北	
卷		後十行	乃下教褒。美之	襃 汲北	修
卷	八	後五行	丹楊。秣陵人也	陽 汲北	
卷	九	後四行	尋徒。太子右衛率	徙 汲北	修
卷	十	前一行	王府注。曹行參軍	法 汲北	修
卷		後九行	富。遣侍讀還家	當 汲北	修
卷	十一	前三行	領丹楊。丞	陽 汲北	
卷	十二	前二行	繈。負至者 汲北	襁	按繈襁同、見史記衛
卷		前後行			將軍傳
卷		後四行	事第二寡嫂。	嫂 汲北	
卷		後九行	父每。喻之 汲北	母	殿誤、見陳書司馬暠
卷		前後行			傳、上文云丁內艱可證

卷	葉	行	元本	殿本	備註
傳卷六四	十四	前六行	乃杭。表求還江陵		
卷		前後行	改葬	抗 汲北 陳書	批修、未修
卷		後十行	乾亦中泠。苦癖	冷 汲北	修
傳卷六五	一	前十行	樓〈明	有惠字 汲北	本傳惠明○補
卷		後一行	褚。伯玉 汲	褚 北	
卷		後二行	京産〈栖 北	有子字 汲	栖爲京産子○補
卷		後十行	穛。者在山 北	樵 汲	按穛乃藮之訛、見朱
卷		前後行			百年傳
卷	二	前六行	大司馬侃。 汲	侃 北	
卷		後七行	道濟饋以梁。肉 汲	梁 北	按梁梁通用、見集韻
卷	三	後四行	旣。以。自。爲。形。役。兮。	旣自以心爲形役	
卷		前後行		無兮字 宋書北汲	汲注旣以自爲形役
卷		前九行	引壹觴。	壺 宋書 汲北	修
卷		前九行	眄庭柯	眄 宋書 汲北	殿誤、見文選
卷		後三行	世與我而相違。 汲	遺 北	宋書而作以
卷		後四行	農人告余以春及棹。		

卷	葉	行	元本	殿本	備註
傳卷六五		前後行	將有事兮西疇。	無棹字 於 汲北宋書	汲作兮〇宋書于
卷	四	前四行	每往必酣飲致醉。汲	至 北	殿誤、見宋書陶潛傳
卷		前十行	不潔。去就之迹	絜 汲北	
卷		後七行	偶愛閑靖。	情	
卷	五	前二行	若。何可言 汲北	苦	殿誤、見宋書陶潛傳
卷		後六行	濟北汜。幼春 汲北	氾	按宋書陶潛傳作氾
卷		前十行	南陽涅。陽人也	湼 汲北	殿誤、見宋書州郡志
卷		前後行			三雍州
卷		前十行	人有餉遺。汲	饋 北	
卷	六	後一行	後子弟從祿。宋書	仕 汲北	殿誤、見宋書宋炳傳
卷		前一行	樂師楊歡。汲北	觀	殿是
卷		前七行	身〻負土植松柏	有自字 汲	北欽補
卷	七	後六行	量腹而進松术。汲北	木	殿誤、見南齊宗測傳
卷		後七行	淡然已定。	足 汲北 南齊	殿是
卷		前九行	彧。之字叔粲	或 汲北	本卷目錄彧、或、次葉前
卷		前後行			一行彧〇修

卷	葉	行	元本	殿本	備註
傳卷六五	八	前一行	大使陸子真。	考證監本貞 汲北	
卷		後三行	冬月無複衣	複 汲北	修
卷		前六行	受業者。 汲	考證監本脱者字	
卷		行		今不脱	北脱者字
卷	九	前二行	祖惔。 北	考證一本琰	汲注一作惔
卷		前二行	徽。不就	徵 汲北 宋書	修
卷		前五行	緬想人外三十年矣		
卷		行	汲北 宋書	息	殿誤，見宋書孔淳之傳
卷	十	前十行	武帝踐祚。 汲北	作	
卷		後五行	父達。	逵 汲北 宋書	修
卷		後十行	長弄一郤。	部 汲北 宋書	修
卷	十一	前五行	吳下士。人共爲築室	士 宋書 北	汲注一作土
卷		後五行	達。特善其事	逵 宋書 汲北	修
卷	十三	前八行	頴。川庾蔚之 汲	穎 北	
卷	十四	後二行	河東楊。人也	考證本訛揚 北	汲注一作楊
卷		後五行	了不相眄。	盼 汲北	殿誤

卷	葉	行	元本	殿本	備註
傳卷六五	十四	後九行	與質俱。下	俱 宋書 汲北	修
卷	十五	前九行	而終不道。侵螫 汲	考證監本訛間	北遂
卷		後七行	祆賊八。城	入 汲北	修
卷	十六	前六行	山海任。人	狂 汲北	修
卷		前十行	褚。伯玉	褚 汲北	
卷		前十行	吳郡錢唐。人也	塘 汲北	
卷	十八	前四行	日。入獄中者甚多	自 汲北	上言有頃，此不得再言
卷		行			日，當是自○修
卷		前八行	及踐祚。 汲北	作	
卷		前十行	詔徵爲太。學博士 汲北	大	
卷		後九行	吳郡錢。唐人也	塘 汲北	
卷	十九	後六行	而有川。陸之節 汲北	州	殿誤，見南齊顧歡傳
卷	廿二	後六行	司徒從事中郎張		
卷		行	融。 汲	翮 北	殿誤，見考證南本融，
卷		行			○見南齊顧歡傳
卷	廿三	後一行	爲鴻乙亭。	耳 北 南齊	汲注一作亭

卷	葉	行	元本	殿本	備註
傳卷六五	廿三	前九行	木連理生。墓側 汲北	主	殿誤
卷		後六行	吴郡、錢唐。人也	塘 汲北	
卷		後七行	京産 空格 恬靜	少 汲北 齊書	補
卷		後七行	閑。意榮宦 汲北	閑	殿誤，按南齊杜京産傳作「閑意宋宦」
卷		行			
卷		後八行	有 空格 節	峻 汲北 齊書	補
卷	廿四	前三行	孔珪周顒、謝淪。 汲北	淪	殿是，見南齊傳卅四
卷		前九行	采。樵者 汲北	採	
卷		後一行	行動幽祇。	祇 汲北	殿是
卷	廿五	前四行	時何衛謝蝴。並隱東		
卷		行	山	朏 汲北	
傳卷六六	一	前九行	甘珍来。嘗先食	未 汲北	未批修，修
卷		後一行	齊高帝爲楊。州刺史	揚	
卷	二	前二行	唯 空格 一人而已	苞 汲北	補
卷		前七行	朧。燭 汲北		考證應作蠟，各本朧
卷		後一行	隱居錢。山	鍾 汲北 南齊	

卷	葉	行	元本	殿本	備註
傳卷六六	二	前六行	還袪。蒙山立精舍		
卷		後行	講授 汲	袪 北	按南齊徐伯珍傳作袪
卷		前九行	伯珍訓。荅 汲北	訓	南齊誤訓，訓是○修
卷		後十行	儒者宗之	儒 汲北	釋隸作儒作僡，字書
卷		前行			無从而而者，但鄙意擬
卷		後行			不動。
卷	三	前四行	二。年。	仝上	二年二字上下無可承○
卷		後行			南齊書亦仝，疑有脱誤。
卷		前五行	夜忽有赤光洞照。汲	然 北	殿誤，見南齊書徐伯珍
卷		後行			傳
卷		前六行	論者已。爲隱德之感		
卷		後行	焉 汲	以 北	修目
卷		前七行	兄。弟。四人 汲	弟兄 北	
卷		後九行	臨川王映。汲	暎 北	南齊傳十六作映，按映
卷		前行			暎同見正韻。
卷	四	後八行	隱居餘不。吴差山 汲	干 北	殿誤，見南齊沈驎士傳

卷	葉	行	元本	殿本	備註
傳卷六六		前後行			○汲注差一作羗○次
卷		前後行			行差山中有賢士」應作
卷		前後行			「異差山中有賢士」
卷	四	前二行	乃往。汲	住北	殿誤
卷		後五行	請附高鄉。北	鄉	全誤、當作節、見南齊
卷		前後行			沈驎士傳○考證一本節
卷		前後行			○汲注一作節
卷		後六行	並。表薦之		監本訛呈、今不訛
卷	五	後一行	後祔。更作小家於濵汲北	祔	殿誤
卷		後六行	從伯僘。之汲	僘北	
卷	六	前二行	瀛。海	瀛汲北	脩
卷		前五行	。雖蔬〻有味亦吐之汲	有菜字北	
卷		前八行	令。世路已清	今汲北	脩
卷	七	後六行	但性畏廟堂人。使麿		
卷		前後行	麏可驂	若汲北	
卷		後七行	異央。驥騄	夫汲北	脩

卷葉	行	元本	殿本	備註
傳卷六六 八	前三行	卒不有見。	肯 汲北	修
卷 九	前三行	絳紫羅繡桂。襡 汲	袿 北	似桂字對○修
卷	前五行	二青烏。	鳥 汲北	修
卷	後一行	以宋孝建三年景。申	丙 北	
卷	行	嵗夏至日生 汲		
卷	後十行	脱朝服挂神武。門 汲	虎 北	
卷 十	前一行	供帳甚感。	盛 汲北	修
卷	前五行	人間書禮。	札 北	汲由札誤礼
卷 十一	前一行	配饗地祇。	衹 北	殿誤○汲作神
卷	前二行	又常。造渾天象 汲	常 北	殿誤
卷	後八行	眼。方者壽千歲	眼 汲北	次行眼有時而方○修
卷 十二	前八行	通以大袈裟。覆衾		
卷	行	蒙首足 汲	娑 北	殿誤
卷 十三	後四行	年祚。 汲北		考證南本數從監本改
卷 十四	前五行	陳郡謝眺。	朓 汲北	修
卷	後三行	豦。士	處 汲北	字書無从豕者，說文作

卷	葉	行	元本	殿本	備註
傳卷六六		前後行			処、俗作處○修
卷	十四	後三行	固不仕 汲	因 梁書 北	殿是
卷	十五	前七行	盧於瘞所	瘞 汲北	修○字書無瘞字
卷		前七行	未朞而卒 汲北	期	
卷		後七行	徵爲曹武平西參軍 汲	虎 北	
卷		後七行	始安王遥光爲楊州	揚 汲北	
卷		後八行	曹武參軍 汲	虎 北	
卷		後十行	楊州刺史	揚 汲北	
卷	十六	前三行	棊荓機巧	筭 北	十葉後七行亦有荓字、
卷		前後行			字書無荓字○汲算○修
卷	十七	前七行	有商人賓諸褚中	商 褚 汲褚 北	修商
卷		後五行	甚傷慱	悼 汲北	修
卷		後六行	是非不涉於言	涉 汲北	下文肆志尋覽，必非二卷
卷	十八	後八行	乃留書二卷付府樞	萬卷付 汲北	○陳書本傳二萬卷付樞
卷		前後行			○修
卷		前後行			

卷	葉	行	元本	殿本	備註
傳卷六六	十九	前一行	此。求志之士	比 陳書 汲北	比是○修
卷		前九行	巢前。庭樹 汲	其 陳書 北	
卷		前十行	時至凡。案	几 汲北	修
卷		前十行	太建十九。年卒 汲	三 北 陳書	太建止十四年、十九年訛
卷		後前行			○修
卷		後二行	不能擢。志屈道 汲	攉 北	殿是、宋書傳五十三史臣
卷		後前行			論○按擢訓去、見莊子
卷		後前行			駢拇篇、莊子擢德塞性
卷		後前行			疑擢是
傳卷六七	三	前三行	瞎。眦之間 汲	睚	北睚○殿誤、見前漢書
卷		後前行			杜欽傳
卷		後九行	帝爲膺。天子	鴈 汲北	修
卷	四	前一行	無。不畏服之 汲	莫 北	
卷		前四行	使家人謹録籥。杜 北	鑰 汲	按鑰籥通、見書金縢
卷		前五行	截法與棺兩。和	焚之 汲北	既焚何必截、疑兩和是
卷		後一行	亦歷負外散騎侍郎		

卷	葉	行	元本	殿本	備註
傳卷六七		行	給事中。	史	見宋書戴明寶傳
卷		後六行	會元凶殺。立	弑 汲北	
卷		後七行	元嗣具言殺。狀	弑 汲北	
卷	五	後十行	起元義熙爲三。乘。		
卷		行	之始 汲	王業 北	殿是，見宋書〇汲三乘
卷		行			注一作王業
卷	六	前一行	三。十五人同爰 汲	二 北	殿誤，見宋書徐爰傳
卷	七	後二行	丹楊。周登之 汲	陽 北	
卷	八	前一行	幼預約勤向。外	内 汲北	修
卷		前五行	丹楊。宋逵之	陽 汲北	
卷		後四行	湘東王受太后令除		
卷		行	狂王。	主 汲北 宋書	殿是
卷		後八行	俞。道龍。荼陵縣子 汲北	命 隆	殿誤，見前五行
卷	九	後一行	莫不必。備	畢 汲北 宋書	殿是
卷	十	前七行	步兵校尉朱幼于。天		
卷		行	寶	干 汲北	殿誤，見宋書傳五十四

卷	葉	行	元本	殿本	備註
傳卷六七	十	後一行	于。天寶因以其謀告		
卷		行	帝	干 汲北	
卷		後五行	于。天寶其先胡人	干 汲北	
卷	十一	前二行	太。始二年 汲	泰 北	殿是、泰始宋明帝年號
卷		行			見宋書紀八
卷		後四行	丹楊。建康人也	陽 汲北	
卷	十二	前八行	猶固盤。石 汲	磐 北	
卷	十三	前八行	紀僧真常。常。貴人		
卷		行	所不及也	堂堂 汲北	汲注一作常常〇見考證
卷		後十行	丹楊。人也	陽 汲北	
卷	十四	後一行	百姓安怗。	帖 北	汲作恬
卷	十五	前一行	皆而。首富室	面 汲北	脩
卷		後三行	仍於錢唐。縣僭號 汲	塘 北	
卷		後四行	以錢唐。縣爲僞太子		
卷		行	宮 汲	塘 北	
卷	十六	後一行	輒將青鼈。百人自隨 汲	鼈 北	殿是

卷	葉	行	元本	殿本	備註
傳卷六七	十六	後三行	使欽之領青鼇。汲	鼇北	殿是
卷	十七	前一行	吳郡錢唐。人汲	塘北	
卷		前六行	皆攘袂槌。牀	搥汲北	按槌搥通，見漢宋子
卷		行			侯古詩
卷		前九行	則遣荊軻。豫讓之		
卷		行	徒汲	卿北	
卷		後十行	王經母所以欣〻經之		
卷		行	義也汲	行王字北	
卷	十八	前一行	後度東宮爲齋帥。汲北	師	殿誤
卷		後二行	此導。人君於危地汲北	道	
卷	十九	後九行	大明太。始汲	泰北	殿是、宋明帝年號，見
卷		行			宋書紀八
卷	二十	前八行	至。尚書右丞少府卿汲北	無至字南齊	
卷		後一行	自江祏始安王遙光等汲	祐	殿誤見南齊傳二十三
卷	廿一	前十行	所幸。潘妃汲	有北	殿誤
卷		後三行	及東冶。營兵汲北	冶	未批修，修冶

卷	葉	行	元本	殿本	備註
傳卷六七	廿一	後十行	胡輝○光 汲北	耀	
卷	廿二	前二行	席休文○	文 汲北	修
卷		後九行	及簡文見立○ 汲	建 北	
卷	廿三	前三行	俱腰○斬 汲北	要	按要腰通，見說文
卷		前八行	遞爲少府丞太○市		
卷		後 行	令 汲	大 北	殿誤，按太市令爲一班，
卷		後 行			見隋書百官志上
卷		後二行	此○日所聞	比 汲北	修
卷	廿四	前七行	蒙揗○而前	楯 汲北	未批修，修
卷		後二行	封文招○縣伯 汲	始 北	殿誤，按文招屬廣州晉
卷		後 行			康郡，見南齊州郡志上
卷		後 行			○陳書文始
卷		後五行	候人王○顏色	主 汲北	未批修，修
卷		後五行	必以○微言譖之 汲	有 北	殿誤
卷		後八行	請逐去官○臣	宮 汲北	修
卷	廿五	前八行	心筭○口占	筭 北	修○汲作算

卷	葉	行	元本	殿本	本備註
傳卷六七	廿六	前二行	素不伏。官 汲	服 北	官指後主，伏服通〇殿是
卷	廿七	前七行	惠朗惠景。 汲	慧 北	殿是，暨慧景爲尚書金
卷		前後行			倉都令史，見四行
卷		前十行	與文慶暨惠景。陽		
卷		前後行	惠朗等 汲	慧 北	
卷	廿八	前六行	韓擒〻陷南豫州 汲	有虎字 北	按韓擒即韓擒虎，見
卷		前後行			隋書傳
卷		前十行	與韓擒〻相應 汲	有虎字 北	
卷		後三行	可致闕。下 汲	闕 北	修
卷	廿九	前二行	瓘儉。慘苛酷	險	批修，誤修〇按儉險可
卷		前後行			通，見荀子富國篇
卷		前四行	係。以九卿六府事存		
卷		前後行	副職 汲	卿 北	殿誤，見南齊偉臣傳
卷		前後行			史臣論
卷		前五行	任。踈人貴 汲	仕 北	殿誤，見南齊偉臣傳
卷		前後行			史臣論

卷	葉	行	元本	殿本	備註
傳卷六七	艽	前八行 後	而任隔踈。情。汲	情踈 北	殿誤，按踈情與下文近
卷		前 後行			狎偶對
卷		前十行 後	故門同玉。署家虢金		
卷		前 後行	穴 汲北	王	殿誤、按漢書李尋傳
卷		前 後十行	瑅池碧梁。汲	沼 北	
傳卷六八	一	前 後四行	海南諸國く 汲北	有西南夷三字	
卷		前八行 後	天竺。	竺 汲北	竺竺同
卷		前 後六行	有西圖。夷亦稱王 汲	國 北	見梁書諸夷傳
卷		前 後行			
卷		前 後八行	璹琄。汲	琄 北	殿誤
卷		前 後十行	織爲班。布 汲	斑 北	按班斑通用〇殿誤，見
卷		前 後行			梁書林邑國傳作班
卷	二	前一行 後	功曹區 空格 殺縣令		
卷		前 後行	自立爲王	連 汲北	按晉書隋書林邑國傳並
卷		前 後行			作連、梁書林邑國傳作
卷		前 後行			達，無作王者〇未挩修，誤傳

卷	葉	行	元本	殿本	備註
傳卷六八	二	前四行	文本立南西卷縣夷		
卷		行	帥范幼。家奴 汲	稚 北	按晉書作椎，梁書作稚
卷		前六行	如斷蜀稾。	藁 北	汲作槀
卷		前六行	范幼。嘗使之商賈 汲	稚 北	
卷		前八行	文爲。於隣國迓王子	僞 汲北 梁書	
卷		前九行	使所親韓戢謝幼。前		
卷		行	後監日南郡 汲	稚 北	按晉書作櫂，梁書作稚
卷		後六行	九眞太守灌遂。	邃 汲北 梁書	
卷		後九行	天竺。	竺 汲北	
卷	三	後六行	聞有代。乃止	伐	殿誤，見梁書林邑國傳
卷		後八行	不剋乃引。還	脱引字	
卷	四	前二行	其大臣⿱艹毒僧。達 汲	儈 北	殿誤，見梁書林邑國傳
卷		前七行	見胡神爲祟。 汲北祟	崇	修祟〇殿誤
卷	五	前五行	沈。木香 北	沉	汲沈
卷		前八行	天竺。	竺 汲北	
卷		後六行	王常。樓居 汲	當 北	殿誤，見梁書扶南國傳

卷	葉	行	元本	殿本	備註
傳卷六八	五	前九行	天竺。	竺 汲北	
卷		後十行	與佛經相佀。	似 汲北	按佀爲似本字
卷	六	前六行	次當伐。金鄰國 汲	代 北	
卷		後八行	乃結〻中壯士	有國字 汲 梁書	北國中係嵌補
卷	七	前一行	先齋。三日 汲	齋 北	按齋古作齋，見正韻
卷		後二行	令探。取之 汲北	採	殿誤，見梁書扶南國傳
卷		前十行	天竺。	竺 汲北	
卷		後一行	天竺。	竺 汲北	
卷		前三行	天竺。	竺 汲北	
卷	八	後五行	遣使竺。當抱老	竺 汲北	
卷		前六行	天竺。	竺 汲北	
卷		後七行	大同九年。	元	殿是，見梁書紀三
卷		前八行	詔遣沙門釋雲。寶		
卷		後一行	隨使往迎之 汲	曇 北	殿誤，見梁書扶南國傳
卷		前一行	按。僧伽經云	按 汲北	
卷		後七行	晉元帝初度〻更脩		

卷	葉	行	元本	殿本	備註
傳卷六八		前後行	飾之	有江字	汲缺補、北缺補江度
卷	八	前十行	所兩吏見録向西北行	有 梁書	殿是
卷	九	前二行	丹楊。	陽 汲北	
卷		前三行	く若壽終 汲	行乃字 北	見梁書扶南國傳
卷		前四行	次至丹楊。	陽 汲北	
卷		前五行	見長干里。 汲北	干	修〇十葉後一行長干巷，恐未~~必~~即此地
卷		前後行			
卷		前三行	圓正光絜。	潔 汲北	
卷	十	前七行	光宅寺釋殘脱等	敬 汲北 梁書	修
卷		前三行	經二。歲	一 汲北 梁書	
卷		前八行	天竺。	竺 汲北	
卷	十一	前四行	像趺。先有外國書 汲北	跌	殿誤，見梁書扶南國傳
卷		前十行	今故遣使二。人 汲	一 北	殿誤，見宋書訶羅陁國
卷		前後行			傳
卷		前五行	爲子所篡。奪	簒 汲北	修
卷	十三	前八行	出班。布 汲	斑 北	殿誤，見梁書干陁利國傳

卷	葉	行	元本	殿本	備註
傳卷六八	十二	後十行	其〈矐曇脩跋陁羅 汲	有王字 梁書	北其
卷	十三	後一行	偏多〈棧洞○婆律香等	沉	殿是，見梁書
卷	十四	前四行	〈乃用班○絲者 汲	有王字 斑 北 梁書	北玨
卷		後二行	中天竺○國	竺 汲北	
卷		後三行	邛○竹○杖 汲北	卬	殿誤，見梁書中天竺國傳
卷		後四行	即天竺○也	竺 汲北	
卷		後五行	罽○屬月支	罽 汲北	修
卷		後八行	瑇瑁○ 汲	瑁 北	殿誤
卷	十五	前四行	鬱金猶○出罽賓國 汲	獨 北 梁書	殿是
卷		前九行	高○阯	交 梁書	殿是
卷		前十行	時諸葛恪討丹楊○	陽 汲北	
卷	十六	前一行	其宮殿皆雕文鐫○刻	鏤 北 梁書	汲作鐫
卷		前九行	又遺○貢獻	遣 汲北	修
卷		後一行	孝建二○年	二 汲北	
卷		後四行	丹楊○尹蕭摹之	陽 汲北	
卷	十七	前三行	孝武寵姬殷貴妃		

卷	葉	行	元本	殿本	備註
傳卷六八		前後行	薨。汲北	夢	殿誤，見宋書天竺迦毗黎國傳
卷		前後行			
卷	十七	前後二行	道無隱百。	旨 汲北	修旨
卷		前後二三行	教罔。遺筌。	罔筌 汲北	均修
卷		前後九行	琳著高展。	屐 汲北	修
卷	十六	前九後行	正。有鬼神及龍居之	止 汲北 梁書	修
卷		前九後行	諸國商估。	商 汲北	修
卷		前後三行	王色絜。潤 汲	潔 北	
卷		前後四行	先有徵士。載安道 汲	戴 北 梁書	殿是
卷		前後七行	大通元年後。正迦葉伽		
卷		前後行	羅訶黎邪 汲	王 北 梁書	殿是
傳卷六九	一	前四後行	西城。諸國 汲	域 北	修
卷		前五後行	蠕。蠕。汲北	北狄	殿是
卷	二	前三後行	所著以。幘而無後	似 北 梁書	修〇汲殘不全
卷		前六後行	有椁。汲	槨 北	
卷		前六後行	好〻葬 汲	有厚字 梁書	北徹補

卷	葉	行	元本	殿本	備註
傳卷六九	二	前六行	金銀財弊。盡於送死	幣 汲北 梁書	修
卷		前七行	兄死妻㛐。	嫂 汲北	
卷		前十行	宋武帝踐祚。	阼	
卷		後七行	不。欲違其意 汲北	模糊	今不模糊
卷	三	後四行	晉世句麗即。畧有		
卷		行	遼東 汲	既 北 梁書	
卷		後六行	義熙十二。年 汲	三 北	殿誤，見宋書百濟國傳
卷		後七行	宋武帝踐祚。 汲北	阼	
卷		後九行	兼謁者閭。丘恩子	閭 汲北 宋書	修
卷	四	後二行	其國土。有二十二檐		
卷		行	魯 汲	之 北	殿誤
卷		後五行	中。太通六年 汲北	大	修
卷		後六行	并取。涅槃等經義	請 梁書	
卷		後九行	五千。餘里	十 汲北	殿誤，見梁書新羅傳
卷	五	前一行	王姓募名泰。 北	泰	考證閣本秦○梁書秦
卷	七	前三行	物豐。而賤	豐 汲北	修

南史

校勘記 傳六九 二三九頁

卷	葉	行	元本	殿本	備註
傳卷六九	七	前七行	無兵士。不攻戰 汲	戈 北 梁書	
卷		前十行	其土。多扶桑木 汲北	上	殿誤，見梁書扶桑國傳
卷		後九行	第一者爲對慮。	盧 汲北	修
卷		後十行	景。丁年赤	丙 汲北	
卷	八	前四行	其昏如。法	姻 汲北 梁書	修
卷		前五行	祖。父母喪	祖 汲北	修
卷		前十行	色甚絜。白	潔 汲北	
卷		後五行	登岸有人居止く則		
卷		行	如中國 汲	有女字 北 梁書	疑殿誤〇殿是
卷		後五行	男則人身有。狗頭 汲	而 北 梁書	殿是
卷	十	前六行	都督河涼。二州諸軍		
卷		行	事 汲	梁 北	殿誤，見梁書宕昌國傳
卷		前七行	河涼。二州刺史 汲北	梁	
卷	十一	後八行	者。武初	孝 汲北	修
卷		後十行	蛮無徭穆。	役 汲北 宋書	殿是
卷	十二	後九行	龔濁山如口蜀松		

卷	葉	行	元本	殿本	備註
傳卷六九		前後行	三柴。	砦汲北	按宋書荊雝州蠻傳作柴
卷		前後九行	又圍斗錢柏義諸柴。	砦汲北	
卷	十三	前四後行	稟君後也。	稟汲北	按宋書豫州蠻傳作廩
卷		前四後行	盤瓠。稟君事並具		
卷		前後行	前史	稟汲北	
卷		前四後行	蘄。水汲北		考證監本訛蘄、今不訛
卷		前後五行	並深岨。汲北		考證監本訛屺、今不訛
卷	十四	前十後行	東近敦煌。	煌汲北	修
卷		前後一行	北隣敕勤。	勤汲北	修
卷	十五	前後八行	呵跋。檀周古柯胡密		
卷		前後行	丹北	跋汲	修跋
卷	十六	前後一行	衣古。貝布	吉	
卷		前後十行	有土。山汲		考證監本訛上、今不訛
卷	十七	前三後行	亦有武。魄馬腦	虎汲北	
卷		前後二行	其相國刑基祇。羅回表	祇汲北	按南齊書芮芮虜傳
卷		前後行			作「刑基祇羅迴」

卷	葉	行	元本	殿本	備註
傳卷七十	一	後八行	時歡曰○將高昂彭樂	部 汲北	按曰疑旧之訛
卷		後九行	言似豕突亦○勢何		
卷		前後行	所至	爾 北	汲作尔
卷	二	前三行	上表求○降	求 汲北	修
卷		後一行	平○鴉仁	羊 汲北	修
卷		後九行	請元氏子弟立爲		
卷		前後行	魏主○ 汲	王 北	殿誤、見梁書侯景傳
卷	三	前一行	慕容超○宗追景	紹 汲北	修
卷		前二行	將定雄○雎○邪	雎雄 汲北	
卷		前四行	裨○將斛律光尤之 北	裨 汲	
卷		後二行	書○夜兼行	書 汲北	修
卷	四	前六行	舍人傳岐○曰 汲	岐 北	殿是、梁書傳卅六
卷		前九行	薄心腸○ 北	腸 汲	修
卷	五	前一行	何不少思○ 汲	忍 北	殿是
卷		前一行	景又徵○司州刺史羊		
卷		前後行	鴉仁同逆 汲	招 北	

南史　校勘記傳七十　二四三頁

卷	葉	行	元本	殿本	備註
傳卷七十	五	前五行	高澄狡滑。汲	猾北	殿是，見左傳
卷		前六行	佞。邪	佞汲北	从妄者不一而是
卷	六	前二行	莫若直掩楊。都	揚	
卷		後二行	俄而質被追爲丹		
卷		行	楊。尹	陽	
卷		後四行	乃自採。石濟	采	
卷		後四行	景出。分襲姑熟	即	
卷		後八行	詔以楊。州刺史宣城		
卷		行	王大器、	揚	
卷		後十行	遣南、浦侯持。守東		
卷		行	府城、	推	八葉後一行推○殿是，見
卷		行			考證，見梁書侯景傳
卷	七	前一行	未。雀航	朱汲北	修
卷		前九行	蕭正德先屯丹楊。郡	陽汲北	
卷		後十行	景又作木。驢數百攻		
卷		行	城、汲北	水	殿誤，見梁書侯景傳

卷	葉	行	元本	殿本	備註
傳卷七十	八	前一行	又作尖頂木驢。狀似		
卷		行	檣 汲	其 北	殿誤
卷		前十行	率數十人。汲北	千 梁書	殿是
卷		後三行	雖城く亦以爲然	有中字 北	汲內○補內字
卷		後九行	交尸。塞路	尸 汲北	原本尸○梁書尸、尸是
卷	九	前三行	五十年仕官。方得中		
卷		行	領軍 汲	宦 北	修
卷		前九行	前白馬游軍主。陳昕 汲	王 北	殿誤
卷		後一行	傳。岐。	傳岐	汲北傳岐○殿傳訛、見
卷		行			梁書傳卅六
卷		後七行	竝享。之	烹 汲北	修
卷		後八行	新塗公大戍。汲	成 北	修
卷		後十行	綸大敗。之於愛敬寺		
卷		行	下 汲	破 北 梁書	
卷	十	後八行	鼓叫。汲	呌	北叫○修叫
卷	十一	前七行	屯丹楊郡	陽 汲北	

卷	葉	行	元本	殿本	備註
傳卷七十	十一	前九行	徇城下 汲	狥 北	修
卷		後十行	至相疑貳 汲	互 北	修
卷	十二	後一行	聞之風止	咸 汲北	修
卷		前九行	椎採	樵 汲北	修
卷		後二行	城中疫死者太半 汲	大 北	殿誤
卷	十三	前一行	侯景圖逼 汲	圍 北	汲北傳〇殿誤，見梁書
卷		前六行	中領軍傳岐議	傳	傳卅六〇修傳
卷		前後行			
卷		前七行	石城公太欵	大 汲北 梁書	修
卷		前七行	請劒擊之 汲	斬 北	
卷		後二行	西昌侯世子或	彧 汲北 宋書	修
卷		後二行	至于馬卬洲	卬 汲北	按卬洲梁書侯景傳作[illegible]洲
卷		後五行	我終當逐汝 汲	爾 北	
卷	十四	前五行	又得城東之米 汲	中 北	殿誤，運城東米于石頭
卷		前後行			見十三葉
卷		前七行	令日持此 汲	今 北 梁書	

卷	葉	行	元本	殿本	備註
傳卷七十	十四	後五行	即決○石關前水	決 汲北	修
卷	十五	前十行	人○詠月云	又 汲北	修
卷	十六	前八行	時東揚○州刺史 汲	揚 北	
卷	十七	後九行	瞻○正色整容 汲	瞻 北	後七行李瞻○修
卷	十八	前十行	干○慶爲太師	于 汲北 梁書	修
卷	十九	前九行	自泰○郡馳還	秦 汲北	梁書卷五十六前十行秦
卷		前後行			郡○修
卷		後五行	忽有烏○似山鵲	烏 汲北	修
卷		後五行	赤足丹觜○	嘴 汲北	按嘴本作觜、見集韻
卷	二十	前七行	同共吹脣○	唇 汲北	修
卷		後七行	太宰主○克	王 汲北	修
卷		後十行	天子登○七世祖考	祭 汲北	修
卷	廿一	前五行	子○時	于 汲北	修
卷		後二行	無故墯○地	墮 汲北	
卷	廿三	前四行	至于落星墩○ 汲	墩 北 梁書	修○墩與境同、淮南子
卷		前後行			地墩民險

卷	葉	行	元本	殿本	備註
傳卷七十	廿二	後五行	及東西堂延閣。秘署		
卷		行	皆盡 汲	閣 北	
卷	廿三	前一行	號叫聞。于石頭	徽 汲北	
卷		前二行	登、城門。故亦不禁也	問 汲北	
卷		前六行	乞降殺之送于王僧		
卷		行	辯。汲	無此七字 北	疑元本衍
卷		前九行	廣顙高權。	顴 汲北	按權顴通、見集韻
卷		後七行	或跂戶限 汲	跂 北	
卷	廿四	前一行	凡。武帝所常居處 汲北	几	殿誤
卷		前八行	須臾之間自滅亡	吏 汲北	修
卷		後三行	伹不久耳	但 汲北	修
卷		後七行	夢犬羊各一 汲北	大	殿誤
卷	廿五	前一行	景嘗。於後堂與其		
卷		行	徒共射	常	殿誤
卷	廿六	前五行	願借一驢。代步	伐	殿誤
卷	廿七	前五行	外不。服從 汲	示 北陳書	修○示是

卷	葉	行	元本	殿本	備註
傳卷七十七		前七行	又執○法𣯷	報 汲北陳書	報是○修
卷		後一行	亦擁○兵立柴○ 汲	砦 北	按陳書熊曇朗傳作寨
卷		後三行	南州○豪帥	川 汲北	南川是，徵南川兵，見後七行
卷		後五行	及周文育攻余孝勱○		
卷		行	於豫章	勵 汲北	殿誤，見陳書熊曇朗傳
卷		後九行	宗佐○無少長	族 汲北	修
卷	廿六	後一行	加吾○南將軍	平 汲北	修
卷		後四行	趀○趄	趦 汲北	
卷		後五行	錄其波○熊曇朗功	破 汲北	修
卷		後六行	及上○師討異迪疑懼○	王 懼 汲北	均修
卷	廿九	前三行	耕作肆○業各○有贏		
卷		行	儲 汲	肆 皆 北	殿誤，見陳書周迪傳，
卷		行			按肆作百工居肆解
卷		前九行	山穴○中	穴 汲北	修穴
卷		後二行	世爲郡〻姓	有著字 汲	北郡著
卷		後四行	太守沉○巡援臺	沈 汲北	修

卷	葉	行	元本	殿本	備註
傳卷七十	卅	前四行	以尚王。獲免	主 汲北	修
卷	卅一	前三行	文帝即嗣。	位	陳書陳寶應傳作「世祖
卷		前後行			嗣位」
卷		前四行	寶應遣。命。助之	師	殿是○陳書作兵
卷		後五行	於是村屯塢壁之豪	塢	
卷		前後行			
卷		前後行			
卷		前後行			
卷		前後行			
卷		前後行			
卷		前後行			
卷		前後行			
卷		前後行			
卷		前後行			
卷		前後行			
卷		前後行			

卷	葉	行	元本	殿本	備註
紀卷四	廿三	前三行	郡縣丞尉可還田°秩	舊 見南齊紀三	殿誤，已修旧
紀卷五	十九	前三行	藏朱雀航南酒盧°	壚	按前漢書食貨志及司馬相如傳並作盧（史記作鑪，晉書作鑪，又王戎傳作壚）〇已修壚
卷		前 後 行			
卷		前 後 行			
卷	廿	前七行	少府太°官	大	據板本則甲本太，乙本大〇按大讀如太本可不修〇已修
卷		前 後 行			
紀卷七	十	前一行	勒°加守護	勤	殿誤，見梁書紀三〇已修
紀卷九	六	前六行	煙塵張°天	漲	殿誤，見陳書紀一，按張與漲通，見左傳〇已修
卷		前 後 行			
傳卷十	七	前九行	薪槱°之歌克昌	樵	按詩大雅注槱亦作樵，二字通，見類編
卷	十	前九行	還°書曰	遺	按梁書作还
傳卷十九	四	前七行	常在勝 空格	明	殿誤，按空格乃明之闕文，見宋書蔡廓傳勝明，謂勝方〇已修
卷		前 後 行			
傳卷廿一	十三	前十行	邑子儀曹郎顧 空格		
卷		前 後 行	之°求娉	珖	殿誤，梁書張率傳作玧〇已修〇但十三前一行亦作珖，可不作誤修論
卷		前 後 行			

卷	葉	行	元本	殿本	備註
傳卷廿三	廿	前二行	或勸言語。有司	請	當作諸，見梁書裴子野傳
卷		前後行			
傳卷廿五	二	後九行	委 空格 已爾	受	當作授，見宋書劉湛傳，汲古作授〇已修
傳卷卅二	十	前三行	令太。醫煑椒二斛	大	按大當讀如泰，實可不修〇已修
傳卷廿五	三	前五行	不復天。王作因緣	夭	無證
卷	五	後八行	其夜呼僚佐文武摴。		
卷		前後行	蒱。賭錢	樗蒱	按蒱蒱通，見馬融摴蒱賦〇已修蒱〇摴，
卷		前後行			殿誤
傳卷卅七	八	後二行	太。官鼎味不及也	大	殿誤，按南齊虞悰傳作太〇已修
卷卅八	十三	後九行	雅有識監。	鑑	按監鑑通用，見書酒誥
卷四三	八	後四行	兩手據地嗽其齊。	臍	殿誤，按梁書河東王譽傳作瞰其齋，疑此處嗽乃瞰之訛〇已修臍〇按西手既據地，則不復可嗽臍，且齋臍通用，見左傳
卷		前後行			
卷		前後行			
卷四五	廿四	前一行	帝遣太子大。衛率康		
卷		前後行	絢督衆軍作荊山堰	右	按康絢傳作左，梁書昌義之傳及康絢傳並作右，似應不修，傳疑〇已修左
卷		前後行			

南史 校勘記 誤修字表 二頁

南史 校勘記 誤修字表 三頁

卷	葉	行	元本	殿本	備註
傳卷四九	十三	前後四行	丘令揩。	楷	十六葉後三、五行屢見作揩
卷五〇	三	前二後行	唯昭及南陽宗史。	央	按梁書傳十三作史
卷	十三	前八後行	即宗伯所掌曲禮	典	殿誤，見周禮太宗伯注，按梁書徐勉傳作典
卷五三	七	前後十行	因遣記室參軍江盱。	盰	殿誤，見北齊文苑傳
卷	八	前一後行	留盱。城中	盰	殿誤
卷		前三後行	但謂江盱徵兵扞北	盰	殿誤
卷	九	前五後行	帝遣江盱。說之	盰	殿誤
卷		前五後行	嗣徽執盱。送鄴	盰	殿誤
卷五五	二	前後七行	固。推湘州刺史晉熙		
卷		前後行	王叔文爲盟主	因	據板本則甲本固、乙本因〇殿是詳猜祥字似
卷		前後行			原本因、後人描固、漏修
卷六三	二	前十後行	戎（空格）遽爲其首	車 北汲	已修軍
卷六七	廿九	前二後行	瓘儉。慘苛酷	險	按儉險可通、見荀子富國篇
卷六八	二	前一後行	功曹區（空格）殺縣令		
卷		前後行	自立爲王	連	按晉書隋書林邑國傳並作連，梁書林邑
卷		前後行			國傳作違，無作王者〇已修王